hänssler

Wer ist dieser Mensch?

Josh McDowell

99 **Und der Hohepriester sprach
zu ihm: Ich beschwöre dich
bei dem lebendigen Gott,
daß du uns sagst, ob du der
Christus bist, der Sohn Gottes.
Jesus sprach zu ihm:
Du sagst es.** 66

Die Bibelstellen sind der revidierten
Lutherübersetzung von 1984 entnommen.

10. Auflage 2002

© 1977 by Tyndale House Publishers, Inc.,
Wheaton, Illinois
Originaltitel: More than a Carpenter
© der deutschen Ausgabe 1987 by Hänssler Verlag,
D-71087 Holzgerlingen
Übersetzung: Hildegund Beimdieke
Umschlaggestaltung: Heide Schnorr v. Carolsfeld
Druck und Bindung: Ebner & Spiegel GmbH

ISBN 3-7751-1656-7 (Hänssler)
ISBN 3-89397-491-1 (CLV)

Inhalt

Vorwort 7

1. Was ist an Jesus so anders? 8

2. Jesus – Schwindler, Wahnsinniger oder der Herr? 20

3. Was sagt die Wissenschaft? 29

4. Sind die biblischen Berichte zuverlässig? 33

5. Für eine Lüge sterben? 48

6. Wem nützt ein toter Messias? 58

7. Die dramatische Wandlung des Saulus 62

8. Ein Toter – auferstanden? 70

9. Gibt es nicht doch einen anderen Weg? 78

10. Er hat mein Leben verändert 83

Bibliographie 93

Vorwort

Vor fast 2000 Jahren kam Jesus in einem kleinen jüdischen Dorf zur Welt. Er gehörte zu einer kleinen Familie, einer Minderheitsgruppe, und lebte in einem der kleinsten Länder der Welt. Man nimmt an, daß er dreiunddreißig Jahre alt wurde, wobei sich sein öffentliches Wirken auf die letzten drei Jahre seines Lebens beschränkt.

Und doch ist sein Name nahezu allen Menschen ein Begriff. Schon das Datum auf unserer Morgenzeitung oder das Erscheinungsjahr eines Buches zeugen davon, daß Jesu Leben eines der folgenreichsten war, das diese Erde erlebt hat.

Der bekannte Historiker H. G. Wells wurde gefragt, welche Person die Geschichte wohl am meisten geprägt habe. Er antwortete darauf, wenn man die Größe eines Menschen nach historischen Gesichtspunkten beurteile, stehe Jesus an erster Stelle.

Und der Historiker Kenneth Scott Latourette urteilt: »Je mehr Zeit vergeht, um so offensichtlicher wird, daß Jesus, gemessen an seinem Einfluß auf die Geschichte, das folgenschwerste Leben führte, das je auf diesem Planeten gelebt wurde. Und jener Einfluß scheint noch zuzunehmen.« Ernest Renan, eigentlich als Skeptiker bekannt, machte folgende Beobachtung: »Jesus ist auf religiösem Gebiet die genialste Figur, die je gelebt hat. Sein Glanz ist ewiger Natur, und seine Regierung hört niemals auf. Er ist in jeder Hinsicht einzigartig und mit nichts und niemandem vergleichbar. Ohne Christus ist Geschichte nicht zu verstehen.«

KAPITEL 1

Was ist an Jesus so anders?

Während einer Gesprächsrunde in Los Angeles fragte ich die Beteiligten: »Wer ist denn Ihrer Ansicht nach Jesus Christus?« Die Antwort lautete, er sei ein großer religiöser Führer gewesen. Ich stimme damit völlig überein, glaube aber persönlich, daß er noch viel mehr war als ein großer religiöser Führer.

Über Jahrhunderte hinweg entzweiten sich Männer und Frauen an der Frage: »Wer ist Jesus?« Doch warum birgt diese Frage so viel Konfliktstoff in sich? Warum verursacht sein Name so viel Aufruhr; mehr als der jedes anderen religiösen Führers? Warum kann man mit vielen Leuten über Gott reden, und sobald man Jesus erwähnt, brechen sie das Gespräch ab oder ziehen sich zurück? Als ich kürzlich in einem Taxi in London eine Bemerkung über Jesus fallen ließ, erwiderte der Taxifahrer unverzüglich: »Ich unterhalte mich nicht gern über Religion, vor allem nicht über Jesus.«

Was unterscheidet Jesus von anderen religiösen Führern? Warum liegt in den Namen Buddha, Mohammed und Konfuzius weniger Zündstoff? (Bietet sich weniger Angriffsfläche?) Sie alle behaupten, nicht selbst Gott zu sein, wie Jesus es tat. Hier liegt wohl der Hauptunterschied.

Seine Umwelt erkannte bald, daß er erstaunliche Aussagen über sich selbst machte. Sein Anspruch ging weit darüber hinaus, Lehrer oder Prophet zu sein. Jesus beanspruchte Gott zu sein, und er bezeichnete sich als den einzigen Weg zu einer lebendigen Beziehung mit Gott, als die einzige Möglichkeit zur Sündenvergebung und als einzigen Weg zur Erlösung.

Viele halten das für zu absolut, zu intolerant, um daran

glauben zu können. Dennoch ist nicht entscheidend, was wir meinen oder glauben, sondern welchen Anspruch Jesus für sich selbst erhob.

Was sagen die neutestamentlichen Schriften darüber aus? Hier wird oft von der »Gottheit« Jesu gesprochen. Damit ist gemeint: Jesus Christus ist Gott.

A. H. Strong definiert in seiner »Systematischen Theologie« Gott als »unendlichen, vollkommenen Geist, in dem alle Dinge ihren Ursprung, Halt und ihr Ende haben«. Mit dieser Definition können sich alle Theisten, auch Moslems und Juden, identifizieren. Im Theismus gibt es einen persönlichen Gott, der das Universum geplant und erschaffen hat und es nun in der Gegenwart erhält. Christlicher Theismus ergänzt diese Definition »...und der in Jesus von Nazareth Fleisch wurde.«

Sprachlich gesehen enthält der Begriff »Jesus Christus« Name und Titel zugleich. Der Name »Jesus« ist auf die griechische Form von Jeshua oder Josua zurückzuführen; er bedeutet »Jehova, der Erlöser« oder »der Herr errettet«. Der Titel »Christus« geht hingegen auf das griechische Wort für Messias (oder das hebräische Wort Mashiach – siehe Daniel 9,26) zurück und kann mit der »Gesalbte« übersetzt werden. Christus – dieser Titel weist auch auf zwei Ämter, Priester und König, hin. Er bestätigt Jesus als den in der alttestamentlichen Prophetie verheißenen Priester und König. Diese Bestätigung ist von entscheidender Bedeutung, wenn man Jesus und das Christentum richtig verstehen will.

Im Neuen Testament wird Christus eindeutig als Gott bezeichnet.

Alle Namen, die Christus zugeordnet werden, weisen auf eine göttliche Gestalt. So zum Beispiel die Herausstellung seiner Gottheit im folgenden Satz: »...und warten auf die selige Hoffnung und Erscheinung der Herrlichkeit des großen Gottes und unseres Heilandes Jesus Christus« (Tit 2,13; vgl. Joh 1,1; Hebr 1,8; Röm 9,5;

1.Joh 5,20–21). Es werden ihm Eigenschaften zuge-
sprochen, die nur Gott haben kann. So wird er als aus
sich selbst seiend (Joh 1,4) beschrieben, als allgegen-
wärtig (Mt 28,20; 18,20), allwissend (Joh 4,16; 6,64; Mt
17,22–27), allmächtig (Offb 1,8; Lk 4,39–44; 7,14–15;
Mt 8,26–27), als das ewige Leben (1.Joh 5,11.12.20;
Joh 1,4).

Jesus empfing somit Ehre und Anbetung, die nur Gott
erhalten durfte. Obwohl er in der Auseinandersetzung
mit Satan darauf hinweist: »Es steht geschrieben, ›Du
sollst den Herrn deinen Gott anbeten und ihm allein
dienen‹« (Mt 4,10), wurde er wie Gott angebetet und
verehrt (Mt 14,33; 28,9) und erhob hier und da sogar
Anspruch darauf (Joh 5,23, s.a. Hebr 1,6 und Offb
5,8–14).

Jesu Anhänger waren in der Mehrzahl gläubige Juden,
die an den einen, wahren Gott glaubten. Trotz ihrer
streng monotheistischen Überzeugung, hielten sie ihn
dennoch für den fleischgewordenen Gott. Gerade von
Paulus ist aufgrund seiner rabbinischen Ausbildung am
wenigsten zu erwarten, daß er Jesus Christus in seiner
Gottheit sieht, daß er einen Menschen aus Nazareth
anbetet und ihn Herrn nennt. Und doch hat gerade
Paulus dies getan und Jesus, das »Lamm Gottes«, als
Gott bezeichnet (Apg 20,28).

Petrus bekannte, nachdem Christus ihn gefragt hatte:
»Für wen hältst du mich?«: »Du bist Christus, des lebendigen Gottes Sohn« (Mt 16,16). Jesus beantwortete
diese Aussage des Petrus keineswegs wie an anderer
Stelle mit einer Korrektur, sondern bestätigte sie: »Selig
bist du, Simon, Jonas Sohn, denn Fleisch und Blut haben
dir das nicht offenbart, sondern mein Vater im Himmel«
(Mt 16,17).

Martha, eine Frau, die Jesus Christus sehr nahestand,
versicherte ihm: »Ja, Herr, ich glaube, daß du der
Christus bist, der Sohn Gottes« (Joh 11,27). Auch

Nathanael, der zuerst fest davon überzeugt war, daß aus Nazareth nichts Gutes kommen könne, bekannte nach seiner Begegnung mit Jesus: »Rabbi, du bist Gottes Sohn, du bist der König von Israel« (Joh 1,49).

Stephanus betete bei seiner Steinigung die Worte: »Herr Jesus, nimm meinen Geist auf« (Apg 7,59). Der Schreiber des Hebräerbriefes nennt Christus Gott, wenn er schreibt »aber von dem Sohn [spricht er]: Gott, dein Thron währt von Ewigkeit zu Ewigkeit« (Hebr 1,8). Johannes der Täufer kündigt das Kommen Jesu mit den Worten an: »... und der Heilige Geist fuhr hernieder auf ihn in leiblicher Gestalt wie eine Taube, und eine Stimme kam aus dem Himmel: ›Du bist mein lieber Sohn, an dir habe ich Wohlgefallen‹« (Lk 3,22).

Schließlich ist da noch das Bekenntnis des Thomas, besser bekannt unter dem Namen »Zweifler«. (Vielleicht war er Akademiker.) Er wagte nämlich den Einwand: »Ich glaube nicht eher, bis ich meinen Finger in seine Nägelmale gelegt habe.« Ich kann Thomas hier gut verstehen. Möglicherweise hat er insgeheim gedacht: »Es steht nicht jeden Tag einer von den Toten auf oder behauptet, der fleischgewordene Gott zu sein. Ich brauche Beweise.« Acht Tage nachdem Thomas den anderen Jüngern gegenüber diese Zweifel geäußert hatte, »kommt Jesus, als die Türen verschlossen waren, und tritt mitten unter sie und spricht: Friede sei mit euch! Danach spricht er zu Thomas: Reiche deine Finger her und sieh meine Hände und reiche deine Hand her und lege sie in meine Seite, und sei nicht ungläubig, sondern gläubig. Thomas antwortete und sprach zu ihm: Mein Herr und mein Gott! Spricht Jesus zu ihm: Weil du mich gesehen hast, Thomas, darum glaubst du. Selig sind, die nicht sehen und doch geglaubt haben!« (Joh 20,26–29). Jesus ließ es sich gefallen, von Thomas als Gott bezeichnet zu werden. Er wies ihn wegen seines Unglaubens zurecht, nicht aber wegen seiner Anbetung.

An diesem Punkt mag der Kritiker einwenden, daß alle angeführten Zitate von anderen über Christus, nicht aber von Christus selbst stammen. Meine Schüler bringen hier zumeist den Einwand, daß Jesu Zeitgenossen ihn wohl genauso mißverstanden haben mögen wie wir heute. Mit anderen Worten, Jesus habe eigentlich nie persönlich den Anspruch erhoben, selbst Gott zu sein.

Ich meine, er hat es doch getan, und wir können die Gottheit Jesu Christi direkt aus den Seiten des Neuen Testamentes entnehmen. Es gibt genügend Schriftstellen, die eine klare Aussage dazu machen.

Das Johannesevangelium berichtet von einem Streitgespräch zwischen Jesus und einigen Juden. Es entzündete sich daran, daß Jesus am Sabbat einen Gelähmten heilte und ihn anwies, sein Bett zu nehmen und zu gehen. »Darum verfolgten die Juden Jesus, weil er dies am Sabbat getan hatte. Jesus aber antwortete ihnen: Mein Vater wirkt bis auf diesen Tag, und ich wirke auch. Darum trachteten die Juden noch viel mehr danach, ihn zu töten, weil er nicht allein den Sabbat brach, sondern auch sagte, Gott sei sein Vater und machte sich selbst Gott gleich« (Joh 5,16–18).

Nun kann man mir entgegenhalten: »Das kann jeder sagen, dessen Vater noch lebt: ›Mein Vater wirkt und ich wirke auch.‹ Das beweist nichts.« Bei jedem Quellenstudium ist es jedoch notwendig, die Sprache, die Kultur und vor allem die Adressaten der Quelle bei der Auslegung zu berücksichtigen. In diesem Fall handelt es sich um die jüdische Kultur, und die Adressaten sind religiöse Führer des Judentums. Wir wollen untersuchen, wie die Juden die Äußerungen Jesu in ihrem eigenen Kulturkreis vor 2000 Jahren verstanden haben. »Darum nun trachteten die Juden noch viel mehr danach, ihn zu töten, weil er nicht allein den Sabbat brach, sondern auch sagte, Gott sei sein Vater und machte sich selbst Gott gleich« (Joh 5,18). Warum diese heftige Reaktion?

Der Grund besteht darin, daß Jesus »mein Vater« und nicht »unser Vater« sagte und dem noch hinzufügte »wirkt bis auf diesen Tag«. In diesen beiden Sätzen stellte sich Jesus mit Gott und dessen Tätigkeit auf eine Stufe. Ein Jude hingegen hätte nie von Gott als »mein Vater« gesprochen – und wenn, dann nur mit dem Zusatz »im Himmel«. Nicht so Jesus. Er redete von Gott als »mein Vater« und stellte so einen unmißverständlichen Anspruch. Er sagte auch, während der Vater am Wirken sei, wirke auch der Sohn. Die Juden verstanden diese Anspielung auf seine Gottessohnschaft. Das Ergebnis war wachsender Haß und Ablehnung. Während sie bis dahin Jesus nur verfolgt hatten, wollten sie ihn jetzt töten.

Doch Jesus erhob nicht nur den Anspruch, Gott als seinem Vater gleich zu sein. Er betonte auch, daß er mit ihm eins sei. Während des Tempelweihfestes in Jerusalem wurde Jesus daher von einigen jüdischen Führern darauf angesprochen, ob er der Christus sei. Hier schloß Jesus seine Entgegnung mit den Worten ab: »Ich und der Vater sind eins« (Joh 10,30). »Da hoben die Juden abermals Steine auf, um ihn zu steinigen. Jesus sprach zu ihnen: Viele gute Werke habe ich euch erzeigt vom Vater. Um welches dieser Werke willen wollt ihr mich steinigen? Die Juden antworteten ihm und sprachen: Um eines guten Werkes willen steinigen wir dich nicht, sondern um der Gotteslästerung willen, denn du bist ein Mensch und machst dich selbst zu Gott« (Joh 10,31–33).

Auf den ersten Blick mag diese heftige Reaktion auf Jesu Erklärung, mit dem Vater eins zu sein, verwundern. Der griechische Text gibt hier einigen Aufschluß. So schreibt der Gräzist A. T. Robertson, daß der hier gebrauchte griechische Begriff »eins« Neutrum und nicht Maskulinum sei, was nicht auf eine personale oder zweckorientierte Einheit, sondern auf eine seinsmäßige Wesenseinheit hindeute. Robertson fügt hinzu: »Diese eindeutige Behauptung stellt den Höhepunkt des Anspruchs Jesu bezüglich seiner Beziehung zwischen ihm (dem Sohn) und dem Vater dar. Sie provoziert den unkontrollierbaren Zorn der Pharisäer.«[1]

Es ist offensichtlich, daß über Jesu Anspruch auf seine Gottheit unter seinen Zuhörern keinerlei Zweifel bestand. Leon Morris, der Direktor des Ridley College in Melbourne schreibt, daß »die Juden diese Äußerung Jesu nur als Gotteslästerung verstehen konnten und nun daran gingen, das Gericht in ihre eigenen Hände zu nehmen. Im Gesetz war nämlich festgelegt, daß Gotteslästerung mit Steinigung bestraft werden sollte (3. Mose 24,16). Dabei ließen diese Männer den üblichen Gerichtsvorgang außer acht. Sie verzichteten auf die Vorbereitung einer Anklageschrift, damit die Behörden die erforderlichen Maßnahmen in die Wege leiteten. In ihrer Erregung wollten sie Richter und Vollstrecker zugleich sein.«[2]

Jesus mußte Steinigung wegen »Gotteslästerung« fürchten. Seine Lehre hatten die Juden eindeutig verstanden; aber, so fragen wir, haben sie ernsthaft darüber nachgedacht, ob seine Ansprüche berechtigt waren?

Jesus machte wiederholt deutlich, daß er in Wesen und Natur mit Gott eins sei. Offen bekannte er: »Wenn ihr mich kenntet, so kenntet ihr auch meinen Vater« (Joh 8,19). »Wer mich sieht, der sieht den, der mich gesandt hat« (Joh 12,45). »Wer mich haßt, der haßt auch meinen Vater« (Joh 15,23). »... damit sie alle den Sohn ehren, wie sie den Vater ehren. Wer den Sohn nicht ehrt, der ehrt den Vater nicht, der ihn gesandt hat« (Joh 5,23). Auch diese Schriftstellen geben zu verstehen, daß Jesus sich nicht nur als Mensch, sondern als Gott gleich betrachtete. Wer meint, daß Jesus Christus Gott lediglich näher als andere Menschen gestanden habe, sollte sich einmal mit seiner Aussage: »Wer den Sohn nicht ehrt, der ehrt den Vater nicht, der ihn gesandt hat« (Joh 5,23), auseinandersetzen.

Bei einem Vortrag (in einem Literaturseminar) an der Universität von West-Virginia, unterbrach mich ein Professor mit den Worten, Jesus habe nur im Johannesevangelium Gottheit für sich beansprucht, und gerade dieses Evangelium sei am spätesten verfaßt worden. Markus hingegen, der Schreiber des ersten Evangeliums, habe nirgendwo erwähnt, daß Jesus Anspruch auf Gottheit erhob. Er hatte entweder das Markusevangelium gar nicht gelesen, oder sich nicht eingehend genug damit beschäftigt, denn auch hier finden sich etliche Hinweise.

Jesus behauptete zum Beispiel, Sünden vergeben zu können. »Als nun Jesus ihren Glauben sah, sprach er zu dem Gelähmten: Mein Sohn, deine Sünden sind dir vergeben« (Mk 2,5; Lk 7,48–50). Nach jüdischem Gesetz stand das allein Gott selbst zu – wie auch aus Psalm 130,4 ersichtlich wird. Die verständliche Reaktion der Schriftgelehrten lautete daher: »Wie redet der so? Er lästert Gott. Wer kann Sünden vergeben, als Gott allein?« (Mk 2,7). Jesus stellte ihnen daraufhin die Frage, was leichter zu sagen sei, »Dir sind deine Sünden vergeben«, oder: »Steh auf ... und geh umher«?

Nach dem Wycliffkommentar handelt es sich hier »um eine nicht beantwortete Frage. Beide Aussprüche sind verhältnismäßig leicht dahingesagt, zu ihrer Verwirklichung bedarf es jedoch göttlicher Vollmacht. Ein Schwindler würde die erste Aussage leichter finden, weil er damit vermeiden könnte, entlarvt zu werden. Jesus heilte jedoch auch die Krankheit dieses Menschen, um zu zeigen, daß er erst recht die Macht hatte, deren Ursache, die Sünde zu vergeben.« Deswegen beschuldigten ihn die religiösen Führer der Gotteslästerung. Lewis Sperry Chafer schreibt in seiner systematischen Theologie, »niemand auf Erden hat das Recht noch die Vollmacht, Sünden zu vergeben. Nur der, gegen den alle gesündigt haben, ist dazu imstande. Als Christus Sünden vergab, was er ganz sicher tat, machte er nicht von einem menschlichen Privileg Gebrauch. – Da niemand anders als Gott Sünden vergeben kann, zeigt sich daran folgerichtig, daß er sich aufgrund dieser Vollmacht als Gott beweist.«[3]

Dieses Konzept der Vergebung beschäftigte mich ziemlich lange, da ich selbst Schwierigkeiten hatte, es zu begreifen. Als eines Tages in einer Philosophievorlesung die Frage nach der Gottheit Jesu Christi auftauchte, zitierte ich die obengenannte Stelle aus dem Markusevangelium. Ein Assistent erhob Einspruch gegen meine Folgerung, die Macht Jesu zur Vergebung demonstriere seine Göttlichkeit. Er meinte, auch er könne jemandem vergeben, ohne daß davon ein Anspruch auf seine Gottheit abzuleiten sei. Als ich über seinen Einwand nachdachte, traf mich die Erkenntnis, warum die religiösen Führer in Israel so heftig gegen Christus reagiert hatten. Ja, man kann durchaus sagen: »ich vergebe dir«, doch diese Erklärung ist nur dann von Wert, wenn sie von der Person kommt, gegen die gesündigt wurde. Wenn ich der Betroffene bin, kann ich durchaus sagen: »Schon gut, es sei dir verziehen.« Aber gerade das hat Christus nicht getan. Der Gelähmte hatte sich gegen Gott, den Vater, versündigt, und in dieser Situation sagte Jesus aus eigener Vollmacht: »Deine Sünden sind dir vergeben.« Es stimmt, wir können Verfehlungen vergeben, die andere uns angetan haben; aber nur Gott selbst kann die Sünden vergeben, die gegen ihn begangen wurden.

Es ist daher verständlich, daß die Juden so reagierten, als ein Zimmermann aus Nazareth solche kühnen Ansprüche erhob. Doch gerade die Macht Jesu, Sünden zu vergeben, zeigt, daß er von einem Vorrecht Gebrauch machte, das nur Gott zusteht.

Im Markusevangelium finden wir auch die Gerichtsverhandlung gegen Jesus (Mk 14,60–64) aufgezeichnet. Gerade ihr Verlauf gehört zu den klarsten Beweisen dafür, daß Jesus den Anspruch auf Gottheit erhob. »Und der Hohepriester stand auf, trat in die Mitte und fragte Jesus und sprach: Antwortest du nichts auf das, was diese wider dich bezeugen? Er aber schwieg still und antwortete nichts. Da fragte ihn der Hohepriester abermals und sprach zu ihm: Bist du der Christus, der Sohn des Hochgelobten? Jesus aber sprach: Ich bin's, und ihr werdet sehen den Menschensohn sitzen zur Rechten der Kraft und kommen mit den Wolken des Himmels. Da zerriß der Hohepriester seine Kleider und sprach: Was bedürfen wir weiterer Zeugen? Ihr habt die Gotteslästerung gehört. Was ist euer Urteil? Sie aber verurteilten ihn alle, daß er des Todes schuldig sei.«

Zuerst verweigerte Jesus die Aussage, bis der Hohepriester ihn unter Eid stellte. Unter diesen Umständen war er zur Antwort verpflichtet (und ich bin froh, daß er antwortete). Auf die Frage: »Bist du der Christus, der Sohn des Hochgelobten?« antwortete er: »Ich bin's.«

Eine Auswertung und Analyse des Zeugnisses Christi zeigt, daß er behauptete, 1. Sohn des Hochgelobten (Gott) zu sein, 2. einst zur Rechten der Macht zu sitzen, 3. mit den Wolken des Himmels wiederzukommen. Alle drei Aussagen sind ausgesprochen messianischer Natur. In dieser Konzentration konnten sie ihre Wirkung nicht verfehlen. Dem Sanhedrin, dem jüdischen Gericht, entging die Bedeutung dieser drei Aussagen nicht, und der Hohepriester reagierte darauf, indem er seine Kleider zerriß und sagte: »Was bedürfen wir weiterer Zeugen?« Sie hatten es schließlich aus seinem eigenen Munde gehört. Er war durch seine eigenen Worte überführt.

Robert Anderson führt aus: »Nichts ist beweiskräftiger als die Haltung feindlich gesinnter Zeugen, und die Tatsache, daß der Herr für sich beanspruchte Gott zu sein, wird unwiderleglich durch die Reaktion seiner Feinde bewiesen. Wir müssen dabei bedenken, daß die Juden kein primitives Stammesvolk, sondern ein hochzivilisiertes und höchst religiöses Volk waren. Ohne

Gegenstimme wurde das Urteil über diese Anmaßung vom Sanhedrin gefällt, jenem großen Nationalrat, der aus den bedeutendsten religiösen Führern, Männern vom Schlag eines Gamaliel und seines großen Schülers Saulus von Tarsus, zusammengesetzt war.«[4]

Es ist daher eindeutig, daß Jesus seine Aussage genau so verstanden haben wollte. Auch ist unbestreitbar, daß die Juden seinen Anspruch, Gott zu sein, begriffen hatten. Es blieben ihnen demzufolge nur zwei Alternativen: Seine Äußerungen waren entweder gotteslästerlich, oder er war wirklich Gott. Für seine Richter war der Fall klar – so klar, daß sie ihn kreuzigten und dann verhöhnten: »Er hat Gott vertraut, der erlöse ihn nun, wenn er Gefallen an ihm hat; denn er hat gesagt: Ich bin Gottes Sohn« (Mt 27,43).

In seiner Erklärung des Markusevangeliums erläutert H. B. Swete die Symbolhandlung des Hohenpriesters: »Das Gesetz untersagte dem Hohenpriester, seine Kleider aus persönlichen Motiven zu zerreißen (2. Mose 10,6). In seiner Rolle als Richter verlangte die Tradition jedoch von ihm, seinem Entsetzen über eine ihm gegenüber ausgesprochene Gotteslästerung auf diese Art Ausdruck zu verleihen. Die Geste zeigt auch deutlich die Erleichterung des Richters. Wenn bis dahin die Beweise fehlten, so waren sie jetzt nicht mehr notwendig, der Gefangene hatte sich selbst überführt.«

Es dürfte klargeworden sein, daß es sich hier um eine außergewöhnliche Gerichtsverhandlung handelte – wie Irwin Linton als Rechtsanwalt feststellt: »Einzigartig in der Rechtsprechung ist, daß es hier nicht um die Taten, sondern um die Identität des Angeklagten geht. Die Anklage vor Gericht, sein Bekenntnis, seine Aussage oder vielmehr sein ›auf frischer Tat ertappt‹ werden, aufgrund dessen er verurteilt wird, wie auch das Verhör des römischen Gouverneurs und die Kreuzesinschrift bei seiner Hinrichtung – alles dreht sich um die eine Frage nach Christi eigentlicher Identität und Würde: Was denkt ihr über Christus? Wessen Sohn ist er?«[5]

Irwin Gaynor vertritt die Meinung, der Sanhedrin habe Jesus Gotteslästerung zur Last gelegt. Er sagt: »Aus allen Berichten der Evangelien geht hervor, daß das angebliche Verbrechen, dessen man Jesus bezichtigte und schließlich überführte, Gotteslästerung war . . . Jesus hatte behauptet, über übernatürliche Kräfte zu verfügen, deren angebliches Vorhandensein bei einem Sterblichen als Gotteslästerung betrachtet wurde (nach Joh 10,33).«[6] (Gaynor bezieht sich dabei auf Jesu Anspruch, selbst Gott zu sein, nicht auf seine Aussage über den Tempel.)

Die meisten Gerichtsverhandlungen beschäftigen sich mit den Taten des Beschuldigten, im Falle Jesu gilt dies nicht. Er mußte sich wegen seiner Person verantworten.

Der Prozeß gegen Jesus ist ein hinreichender Beweis dafür, daß Jesus eine klare Aussage über seine Göttlichkeit machte. Seine Richter bezeugen es. Aber auch am Tag seiner Kreuzigung bekannten seine Feinde, daß er behauptete, fleischgewordener Gott zu sein. »Desgleichen spotteten auch die Hohenpriester mit den Schriftgelehrten und Ältesten und sprachen: Andern hat er geholfen und kann sich selber nicht helfen. Ist er der König von Israel, so steige er nun vom Kreuz herab. Dann wollen wir an ihn glauben. Er hat Gott vertraut, der erlöse ihn nun, wenn er Gefallen an ihm hat, denn er hat gesagt: Ich bin Gottes Sohn« (Mt 27,41–43).

KAPITEL 2

Jesus – Schwindler, Wahnsinniger oder der Herr?

Die eindeutigen Gottheitsansprüche Jesu widerlegen die populären skeptischen Einwände, die Jesus als moralisch hochstehende Größe oder als Propheten betrachten, der bedeutende philosophische Aussagen machte. Sehr oft wird diese Schlußfolgerung, die schon die Vernunft dem Menschen gebiete, als die einzige wissenschaftlich haltbare bezeichnet. Leider stimmen dem sehr viele einfach zu, ohne die Unhaltbarkeit einer solchen Überlegung zu sehen.

Für Jesus selbst war es äußerst wichtig, daß er wußte, wer er in den Augen der Menschen war. Von seinen Aussagen und Selbst-Bezeichnungen kann man daher nirgendwo ableiten, daß er lediglich ein moralisch hochstehender, vorbildlicher Mensch oder ein Prophet war. Jesus hat uns hier nie eine Alternative offengelassen.

C. S. Lewis, ehemaliger Professor an der Universität Cambridge und einst Agnostiker, bringt das ganz klar zum Ausdruck. Er schreibt: »Ich möchte jeden davor bewahren, sich jener weitverbreiteten, äußerst beschränkten Aussage über ihn anzuschließen: ›Ich kann Jesus als großen ethisch-moralischen Lehrer akzeptieren, aber nicht seine Ansprüche auf Gottheit.‹ Diese Behauptung ist unhaltbar. Wer als gewöhnlicher Sterblicher solche Dinge sagt, wie Jesus es getan hat, der kann gar kein großer ethischer Lehrer sein. Er wäre entweder ein Wahnsinniger – wie einer, der behauptet, er sei ein Huhn – oder er wäre der Teufel persönlich. Vor dieser Wahl stehen wir. Entweder war und ist dieser Mann Gottes Sohn – oder er war ein Verrückter oder Schlimmeres.«

Lewis fügt hinzu: »Man kann ihn als Verrückten

einsperren, ihn anspeien und als Teufel umbringen oder aber zu seinen Füßen niederfallen und ihn Herr und Gott nennen. Doch den groben Unsinn, ihn als großen humanistischen Lehrer hinzustellen, sollten wir bleibenlassen. Diese Möglichkeit hat er selbst uns nicht gelassen. Es lag auch nicht in seiner Absicht.«[1]

F. J. A. Hort, der sich achtundzwanzig Jahre lang mit textkritischen Studien des Neuen Testamentes befaßte, schreibt: »Seine Worte sind so ausnahmslos Teil und Ausdruck seiner Persönlichkeit, daß sie als abstrakte Aussagen über Wahrheit, die von ihm als göttlichem Orakel oder Propheten stammen, völlig bedeutungslos wären. Wenn wir ihn als primäres (wenn auch nicht ausschließliches) Subjekt von seinen Aussagen abtrennen, so lösen sie sich alle in ein Nichts auf.«[2]

Kenneth Scott Latourette, Professor für Kirchengeschichte an der Yale-Universität drückt es so aus: »Nicht seine Lehre macht Jesus so einzigartig, obwohl sie allein schon genügen würde, ihn auszuzeichnen. Es ist die innere Verknüpfung seiner Lehre mit seiner Person. Diese beiden Faktoren können nicht voneinander getrennt werden.« »Für jeden, der das Neue Testament gründlich liest«, folgert Latourette, »sollte es daher klar auf der Hand liegen, daß Jesus sich selbst und seine Botschaft für untrennbar hielt. Er war ein großer Lehrer, aber er war mehr als das. Seine Lehren über das Reich Gottes, über das menschliche Verhalten und über Gott sind wichtig; aber man kann sie nicht von seiner Person scheiden, ohne Gefahr zu laufen, sie falsch zu interpretieren.«[3]

Jesus beanspruchte Gott zu sein. Eine andere Möglichkeit ließ er nicht offen. Daher muß seine Behauptung entweder richtig oder falsch sein – auf jeden Fall sollte man sich ernsthaft mit ihr auseinandersetzen. Jesu Frage an seine Jünger: »Wer sagt denn ihr, daß ich sei?« (Mt 16,15) läßt daher eine Reihe mehr oder weniger richtiger Antworten zu.

Zunächst einmal ist die These zu prüfen, sein Anspruch Gott zu sein sei völlig vermessen und falsch. Unter diesen Umständen gäbe es nur zwei Möglichkeiten: Entweder wußte er, daß sein Anspruch falsch war, oder er wußte es nicht. Wir werden beide Möglichkeiten untersuchen.

War er ein Betrüger?

Wenn Jesus bei der Formulierung seiner Aussagen gewußt hätte, daß er nicht Gott war, so würde es sich um Lüge und vorsätzlichen Betrug gegenüber seinen Anhängern handeln. Als Schwindler und Betrüger wäre er dann zugleich ein äußerst gerissener Heuchler gewesen, denn er verlangte von anderen, unter allen Umständen ehrlich zu sein, während er selbst eine ungeheuerliche Lüge gelebt hätte. Er müßte der reinste Dämon gewesen sein, denn er wies andere an, ihm ihr ewiges Schicksal anzuvertrauen. Wenn er also gewußt hätte, daß er seine Ansprüche und Versprechungen nicht erfüllen konnte, so gäbe es keine Worte, um seine Niedertracht zu beschreiben. Außerdem wäre er ein ganz großer Narr gewesen, denn es war schließlich gerade sein Anspruch auf Gottheit, der zu seiner Kreuzigung führte.

Viele werden sagen, Jesus sei ein bemerkenswerter ethischer Lehrer gewesen. Doch wir wollen realistisch sein. Wie konnte er moralisches Vorbild sein und zugleich Menschen am wichtigsten Punkt seiner Lehre irreführen – in der Frage seiner eigenen Identität!

Zwangsläufig müßten wir dann zu dem logischen Schluß kommen, daß er ein vorsätzlicher Betrüger und Hochstapler war. Diese Meinung über Jesus stimmt jedoch nicht mit dem Gesamteindruck überein, den wir von seiner Person, von dem, was er tat und lehrte, vermittelt bekommen. Denn überall, wo Jesus verkündigt wurde, sind Menschenleben zum Besseren hin verändert worden, hatte seine Lehre positiven Einfluß auf ein Volk, wurden Diebe auf einmal ehrlich, erlebten Alkoholiker Heilung, konnten von Haß und Bitterkeit geprägte Menschen auf einmal lieben, wurden Ungerechte gerecht.

Die Worte des britischen Historikers William Lecky, einem scharfen Gegner des institutionellen Christentums, wurden schon oft zitiert: »Jesu Charakter vereinigt in sich nicht nur das höchste Vorbild menschlicher Tugenden, sondern spornt zugleich an zu deren praktischer Ausübung. Er hat einen so nachhaltigen Einfluß ausgeübt, daß man in Wahrheit sagen kann, der einfache Bericht über drei kurze Jahre seines aktiven Lebens habe mehr für die Erneuerung und den Frieden der Menschheit bewirkt als alle Abhandlungen der Philosophen und alle Ermahnungen der Moralisten.«[4]

Der Historiker Philipp Schaff kommentiert: »Wenn dieses Zeugnis nicht der Wahrheit entspricht, dann handelt es sich um offene Gotteslästerung oder um Wahnsinn. Doch eine solche Hypothese kann nicht einen Moment lang aufrechterhalten werden, angesichts der moralischen Reinheit und Würde Jesu, die sich in allen seinen Worten und Taten sichtbar bekundet und die durch allgemeine Übereinkunft bestätigt wird. Selbstbetrug ist in solch einer gewaltigen Sache und auf einer solchen Intelligenzstufe und der Fähigkeit zu nüchterner Überlegung ebenso auszuschließen. Wie kann er ein Enthusiast oder Verrückter sein, wenn er nie die Nerven oder seine Beherrschung verlor und seine Schwierigkeiten und Anfeindungen erhaben meisterte, kritischen Fragen mit weisen Antworten begegnete und schließlich wohlbeabsichtigt und voll innerer Ruhe seinen Tod, seine Auferstehung am dritten Tag, die Ausgießung des Heiligen Geistes, die Gründung seiner Gemeinde und die Zerstörung Jerusalems voraussagte – prophetische

Ankündigungen, die sich wirklich erfüllten? Eine solche einzigartige Persönlichkeit, so integer und ausgeglichen, so vollkommen, so menschlich und zugleich über alle menschliche Größe erhaben, kann weder der Wahnsinn noch die Einbildung hervorbringen. Der Dichter wäre dann, wie es heißt, größer als seine Erfindung. Sicher bedürfte es mehr als eines Jesus, um überhaupt einen Jesus zu erfinden.«[5]

An anderer Stelle führt Schaff ein überzeugendes Argument gegen die Anschuldigung an, Jesus sei ein Betrüger oder Hochstapler gewesen: »Es ist weder logisch, noch entspricht es dem gesunden Menschenverstand oder der Erfahrung, daß ein Hochstapler – ein egozentrischer, betrügerischer, geistesgestörter Mensch – den reinsten und edelsten Charakter erfunden und von Anfang bis Ende aufrechterhalten hätte, den die Geschichte kennt, zudem mit dem vollkommenen Anschein von Wahrheit und Realität! Wie konnte er angesichts großer Skepsis von seiten seiner Volks- und Zeitgenossen erfolgreich ein Konzept so unvergleichlicher Humanität, moralischer Größe und Erhabenheit erfinden und vertreten, und schließlich sogar sein Leben dafür opfern?«[6]

Wenn Jesus darauf abzielte, daß die Menschen ihm nachfolgten und an ihn als Gott glaubten, warum ging er dann zum jüdischen Volk? Warum entschloß er sich, als Tischler aus Nazareth in einem so kleinen Land aufzutreten, das so unbeirrt an der unteilbaren, unanfechtbaren Einheit Gottes festhielt? Warum ging er nicht nach Ägypten oder sogar nach Griechenland, wo man an verschiedene Götter und ihre verschiedenartigen Manifestationen ohnehin schon glaubte?

Jemand, der so wie Jesus lebte und lehrte und einen solchen Tod starb wie er, kann einfach kein Betrüger und Hochstapler gewesen sein. Doch welche anderen Möglichkeiten gibt es noch?

24

War er ein Wahnsinniger?

Wenn völlig außer Frage steht, daß es sich bei Jesus um einen Schwindler und Betrüger handelte, wäre es dann nicht möglich, daß er zwar persönlich davon überzeugt war, Gott zu sein, aber sich eben geirrt hat? Es ist ja durchaus möglich, daß man eine Sache ernsthaft vertritt, von der sich später herausstellt, daß sie falsch war. Wenn jedoch jemand in einer so streng monotheistischen Gesellschaft den Anspruch erhebt, Gott zu sein und verkündet, das ewige Schicksal der Zuhörer hänge vom Glauben an ihn ab, dann handelt es sich nicht nur um einen Anflug von Phantasie, sondern im wahrsten Sinne des Wortes um die Reden eines Wahn-sinnigen. War Jesus Christus ein Wahnsinniger?

Jemand glaubt, er sei Gott, das hört sich mindestens so an, als propagierte heute jemand, er sei Napoleon. Ganz sicher hielte man eine solche Einbildung für Geistesstörung in Reinkultur und würde den Betreffenden in eine Klinik einweisen, damit er nicht sich selbst und anderen Schaden zufügen kann. Doch bei Jesus finden wir keinerlei Hinweise auf abnormes oder exzentrisches Verhalten, das gewöhnlich für Geisteskranke symptomatisch ist. Seine innere Stabilität und Ausgeglichenheit wäre für einen Geistesgestörten sicher erstaunlich.

Noyes und Kolb beschreiben in ihrem Handbuch der Psychiatrie den Schizophrenen als eine Person, die eher autistisch in sich befangen ist, als daß sie Kontakt zur Wirklichkeit pflegt. Der Schizophrene möchte vor dieser Welt der Realität fliehen. Die Behauptung, Gott zu sein, wäre in diesem Fall sicher unbestritten ein Rückzugsmanöver aus der Realität.

Im Licht aller anderen Dinge, die wir über Jesus wissen, kann man sich jedoch nur schwer vorstellen, daß er geistig gestört war. Seine Worte gehören zu den bedeutendsten, die jemals aufgezeichnet wurden. Seine

Anweisungen und seine Hilfe haben viele Menschen aus Gebundenheit befreit. Clark H. Pinnock fragt daher: »War er größenwahnsinnig, ein Umnachteter, ein unbewußter Betrüger, ein Schizophrener? Wiederum, die Genialität und die Tiefe seiner Lehre sprechen für seine völlige geistige Gesundheit. Wären wir doch so normal und nüchtern wie er!«[7] Ein kalifornischer Student sagte mir neulich, sein Psychologieprofessor habe in der Vorlesung bemerkt, »er müsse nur zur Bibel greifen und seinen Patienten Abschnitte der Lehre Jesu vorlesen. Das sei manchmal alles, was sie an Therapie nötig hätten«.

Der Psychiater J. T. Fisher behauptet: »Wenn wir alle wichtigen Artikel sammeln, die jemals von hochqualifizierten Psychologen und Psychiatern in Sachen geistiger Gesundheit geschrieben wurden, wenn wir diese zusammenfassend kürzen und jeweils den Extrakt herausziehen – wenn es uns also nur um die Kernaussage, nicht aber um das Drumherum geht – und wir anschließend diese unverfälschten Teile rein wissenschaftlicher Erkenntnis präzise von den fähigsten Schriftstellern unserer Zeit ausdrücken ließen, so käme dabei nur eine eigenartige und unvollständige Zusammenfassung der Bergpredigt heraus, die bei einem Vergleich mit dem biblischen Text auch noch ziemlich stark verlieren würde. Fast zweitausend Jahre hält die christliche Welt nun also schon die Antwort auf ihre ruhe- und fruchtlosen Bemühungen in den Händen. Hier ruht der Prototyp eines erfolgreichen menschlichen Lebens, das Optimismus, geistige Gesundheit und Zufriedenheit beinhaltet.«[8]

C. S. Lewis schreibt: »Die Historiker stehen vor einem großen Problem, wenn sie für das Leben, die Aussagen und den Einfluß Jesu eine Erklärung finden sollen, die nicht schwerer ist als die christliche. Die Diskrepanz zwischen der Tiefe, der Vernünftigkeit und dem Scharfsinn seiner Morallehre einerseits und dem zügellosen

Größenwahn andererseits, der seiner Theologie zugrunde liegen müßte, wenn er nicht wirklich Gott wäre, ist niemals zufriedenstellend geklärt worden. Deshalb folgt eine nichtchristliche Hypothese der anderen, und alle bringen nur Verwirrung zustande.«[9]

Philipp Schaff meint: »Kann ein solcher Verstand – so klar wie der Himmel und durchdringend wie frische Bergluft, scharf und treffend wie ein Schwert, durch und durch gesund und kräftig, immer geistesgegenwärtig und selbstbeherrscht – bezüglich des eigenen Charakters und Auftrags solch einer totalen, äußerst schwerwiegenden Verwirrung zum Opfer gefallen sein? Welch ein widersinniger Gedanke wäre das.«[10]

War er der Herr?

Ich persönlich kann nicht zu der Schlußfolgerung kommen, daß Jesus ein Schwindler, Betrüger oder Wahnsinniger war. Es bleibt daher nur die Möglichkeit, daß er wirklich der Christus, der Sohn Gottes war, wie er behauptet hat.

Wenn ich darüber mit Juden spreche, reagieren die meisten auf höchst interessante Weise. Gewöhnlich erklärt man mir, Jesus sei ein beachtlicher Lehrer der Moral und Ethik gewesen – ein guter Mensch, irgend so etwas wie ein Prophet. Meistens gehe ich dann auf die Ansprüche Jesu ein und auf das eben behandelte Trilemma (Schwindler, Wahnsinniger oder Herr). Wenn ich dann meine jüdischen Freunde frage, ob sie der Meinung sind, Jesus sei ein Betrüger gewesen, entgegnen sie mir mit einem scharfen Nein. Auch auf die Frage, ob es sich bei ihm um einen Geistesgestörten handelte, lautet die Antwort: »Natürlich nicht.« Wenn ich dann frage: »Glauben Sie, daß er Gott war?« kommt wie aus der Pistole geschossen die Antwort: »Auf gar keinen Fall.«

Es geht hier nicht darum, welche von diesen drei Alternativen möglich ist; entscheidend ist vielmehr: »Welche ist wahrscheinlich?« Die persönliche Entscheidung, wer Jesus Christus ist, bedarf sorgfältiger geistiger Überlegung. Man kann Jesus nicht unter die Rubrik großer moralischer Lehrer einordnen. Er ist entweder Betrüger, Wahnsinniger oder Herr und Gott. Wir müssen uns entscheiden. »Diese aber sind geschrieben«, sagt Johannes, »damit ihr glaubt, daß Jesus der Christus ist, der Sohn Gottes, und damit ihr durch den Glauben das Leben habt in seinem Namen« (Joh 20,31).

Die Beweise sprechen klar zugunsten Jesu als dem Herrn. Einige jedoch ziehen es vor, diesen klaren Beweis aufgrund der moralischen Folgen, die diese Entscheidung nach sich zieht, abzulehnen. Sie wollen die Verantwortung nicht tragen, die aus dem Bekenntnis »Jesus ist der Herr« folgt.

KAPITEL 3

Was sagt die Wissenschaft?

Viele versuchen eine persönliche Entscheidung für Christus mit dem Einwand zu verdrängen, wenn etwas nicht wissenschaftlich beweisbar sei, sei es auch nicht wahr und darum nicht der Annahme wert. Da man die Gottheit Jesu Christi und die Auferstehung nicht wissenschaftlich beweisen könne, sei es einem Menschen des zwanzigsten Jahrhunderts nicht zuzumuten, Christus als Erlöser anzunehmen oder an die Auferstehung zu glauben.

So tritt sehr oft im Philosophie- oder Geschichtsunterricht die Frage an mich heran: »Können Sie es wissenschaftlich beweisen?« Worauf ich gewöhnlich entgegne: »Nein, ich bin schließlich kein Naturwissenschaftler.« Als Antwort geht dann ein spöttisches Grinsen durch die Klasse, und man hört Stimmen wie: »Lassen wir doch diesen Quatsch«, oder »Seht ihr, es kommt nur auf den Glauben an« (womit blinder Glaube gemeint ist).

Kürzlich unterhielt ich mich auf einem Flug nach Boston mit meinem Sitznachbarn darüber, warum ich persönlich glaube, daß Jesus der ist, der er zu sein vorgab. Der Pilot, der gerade seine Begrüßungsrunde machte, bekam Teile unseres Gespräches mit. »Sie haben ein Problem vergessen«, meinte er. »Und das wäre?« hakte ich nach. »Sie können es nicht wissenschaftlich beweisen.«

Die Geisteshaltung, die unsere moderne Gesellschaft entwickelt hat, ist erstaunlich. Wie viele schließen sich heute der These an, was nicht wissenschaftlich zu beweisen sei, könne auch nicht wahr sein. Das ist falsch! Es wird problematisch, wenn man eine Person oder einen Vorfall in der Geschichte beweisen möchte. Wir müssen hier den Unterschied zwischen einem naturwissenschaftlichen und einem juristisch-historischen Beweis klären.

Die naturwissenschaftliche Beweisführung geht davon aus, daß etwas nur dann als Tatsache akzeptiert werden kann, wenn es sich in der Gegenwart desjenigen wiederholen läßt, der es anzweifelt. In einer kontrollierten Situation werden Beobachtungen angestellt, Daten festgehalten, Hypothesen empirisch verifiziert.

Die naturwissenschaftliche Methode, wie man sie auch definiert, geht mit der Messung eines Phänomens, dem Experiment oder der wiederholten Beobachtung einher. Dr. James B. Conant, der frühere Präsident der Harvard-Universität, schreibt dazu: »Naturwissenschaft – das sind miteinander verbundene Konzeptreihen und Begriffsschemata, die als Ergebnis von Versuchen und Beobachtungen entwickelt wurden und die sich in weiteren Experimenten und Beobachtungen fruchtbar anwenden lassen.«[1]

Die Anwendung von kontrollierten Versuchen, um den Wahrheitsgehalt einer Hypothese zu testen, ist eine der wichtigsten Methoden der modernen Naturwissenschaft. So mag jemand die Behauptung aufstellen: »Elfenbeinseife schwimmt nicht!« Ich nehme daraufhin die betreffende Person mit in die Küche, lasse 10 Liter 30°C warmes Wasser in das Spülbecken laufen und werfe die Seife hinein. Beobachtungen setzen ein, Aufzeichnungen werden gemacht, eine Hypothese wird durch Beobachtung verifiziert: Elfenbeinseife schwimmt.

Wenn sich nur durch die naturwissenschaftliche Methode etwas beweisen ließe, so stießen wir jedoch bald auf Grenzen; denn es wäre zum Beispiel unbeweisbar, daß wir heute in der Uni waren oder daß wir schon gefrühstückt haben, weil es keine Möglichkeit zur Wiederholung dieser Tatsache in einer geplanten, kontrollierten Situation gibt.

Hier wird eine juristisch-historische Beweisführung

notwendig. Man bemüht sich, nachzuweisen, daß etwas als Tatsache angenommen werden kann, ohne daß ernsthafte Zweifel bleiben. Mit anderen Worten, man fällt ein Indizienurteil auf der Basis von Beweisen. Die Entscheidung stützt sich auf drei Arten von Beweismitteln: mündliche Zeugenaussagen, schriftliche Zeugnisse und Indizien (wie Waffen, Geschosse, Tagebuch etc.). Mit der juristisch-historischen Beweismethode könnte ich ohne Schwierigkeit beweisen, daß ich heute morgen die Uni besucht habe: Freunde haben mich gesehen, es existieren Notizen von den Vorlesungen, Professoren erinnern sich an meine Anwesenheit.

Die naturwissenschaftliche Methode kann nur wiederholbare Dinge beweisen. Sollen jedoch Mutmaßungen über eine Person oder die Wahrhaftigkeit eines Geschichtsereignisses belegt werden, dann erweist sie sich als unzulänglich. »Hat George Washington gelebt?«, »War Martin Luther King ein Bürgerrechtskämpfer?«, »Wer war Jesus von Nazareth?«, »War Robert Kennedy amerikanischer Justizminister?« oder »Ist Jesus Christus von den Toten auferstanden?«. Solche Fragen überschreiten den Rahmen naturwissenschaftlicher Beweisbarkeit; wir müssen sie mit der juristisch-historischen Methode auf ihre Stichhaltigkeit untersuchen. Mit anderen Worten: Die naturwissenschaftliche Methode, die auf Beobachtung, Aufzeichnung von Daten, Aufstellung von Hypothesen, Schlußfolgerung und experimenteller Verifikation beruht, die empirische Regelmäßigkeiten in der Natur erforschen und erklären will, findet keine letzte Antwort auf Fragen wie »Ist die Auferstehung wissenschaftlich beweisbar?« oder »Kann man beweisen, daß Jesus der Sohn Gottes ist?«. Wenn wir die juristisch-historische Methode zu Hilfe nehmen, müssen wir zunächst die Zuverlässigkeit der Zeugen überprüfen.

Es hat mich immer besonders angesprochen, daß es sich beim christlichen Glauben nicht um blinde, unwissende Einbildung, sondern um einen intelligenten Glauben handelt. Jedesmal, wenn die Bibel jemanden zum Glauben aufruft, ist ein Glaube gemeint, der das Denken nicht ausschließt. Jesus sagt in Johannes 8: »Ihr sollt die Wahrheit wissen« – nicht sie ignorieren. Als man Christus danach fragte, was denn das oberste Gebot sei, gab er zur Antwort: »Den Herrn, deinen Gott, von ganzem Herzen und mit deinem ganzen Verstand zu lieben.« Leider hören viele Menschen beim Herzen auf, so daß die Tatsachen über Christus nie ihren Verstand erreichen. Wir wurden jedoch auch mit einem Verstand ausgestattet, der, vom Heiligen Geist erleuchtet, Gott erkennen soll; nicht nur mit einem Herzen, um ihn zu lieben und mit einem Willen, dem es freisteht, sich für ihn zu entscheiden. Um unsere Beziehung zu Gott voll ausschöpfen und ihm die gebührende Ehre geben zu können, müssen alle drei, Herz, Wille und Verstand, daran beteiligt werden. Von mir ausgehend kann ich sagen, daß es nicht möglich ist, sich mit dem Herzen über etwas zu freuen, was der Verstand ablehnen müßte. Beide sind zu einem Zusammenwirken in Harmonie geschaffen. So wird keinem Menschen zugemutet, intellektuellen Selbstmord zu begehen, wenn er sein Vertrauen auf Christus als Erlöser und Herrn setzt.

In den nächsten vier Kapiteln sollen daher die Zuverlässigkeit der schriftlichen Dokumente und die Glaubwürdigkeit der mündlichen Zeugen- und Augenzeugenberichte von Jesus näher untersucht werden.

KAPITEL 4

Sind die biblischen Berichte zuverlässig?

Das Neue Testament ist die wichtigste historische Quelle zur Information über Jesus. Aus diesem Grunde haben im 19. und 20. Jahrhundert viele Kritiker die Zuverlässigkeit der biblischen Dokumente in Zweifel gezogen. Es scheint noch immer eine Unzahl von Vorurteilen und Fehlschlüssen zu existieren, für die es entweder keine geschichtliche Grundlage gibt oder die inzwischen von archäologischen Funden und Forschungsarbeiten widerlegt wurden.

An der Arizona State-Universität sprach mich ein Professor an, der mit seinem Literaturseminar zu meiner »free-speech«-Vorlesung unter freiem Himmel gekommen war: »Herr McDowell, Sie gründen alle Ihre Behauptungen über Christus auf ein zweifelhaftes Dokument aus dem 2. Jahrhundert. Gerade heute habe ich im Seminar davon gesprochen, daß das Neue Testament so lange nach Christus geschrieben worden ist, daß seine Berichte unmöglich genau sein können.«

Ich antwortete ihm: »Leider ist Ihre Ansicht und Schlußfolgerung bezüglich des Neuen Testamentes seit 25 Jahren überholt.«

Mein Gegenüber führte seine Stellungnahme zu den biblischen Berichten über Jesus auf die Ergebnisse des deutschen Exegeten F. C. Baur zurück. Baur hatte angenommen, die überwiegende Zahl der neutestamentlichen Schriften sei nicht vor Ende des zweiten Jahrhunderts nach Christus aufgezeichnet worden. Er ging davon aus, daß es sich dabei in der Hauptsache um Texte aus Mythen und Legenden handle, die in dem langen Zeitraum zwischen der Lebenszeit Jesu und der schriftlichen Niederlegung dieser Berichte entstanden seien.

Im 20. Jahrhundert bewiesen archäologische Funde jedoch die Genauigkeit der neutestamentlichen Manuskripte. Die Entdeckung der frühen Papyri (die John-Ryland-Handschriften 130 n. Chr.; die Chester Beatty Papyri 155 n. Chr. und die Bodmer Papyri II 200 n. Chr.) füllte die Lücke zwischen der Zeit Christi und bereits vorhandenen, später datierten Manuskripten.

Millar Burrows von der Yale-Universität sagt dazu: »Ein Vergleich des neutestamentlichen Griechisch mit der Sprache der gefundenen Papyri bestärkt das Vertrauen in die Genauigkeit der Wiedergabe des Textes im Neuen Testament selbst.«[1] Funde wie diese haben dazu beigetragen, das Vertrauen der Exegeten in die Zuverlässigkeit der Bibel zu stützen.

William Albright, einst der erfolgreichste biblische Archäologe, schreibt: »Wir können bereits mit Nachdruck behaupten, daß wir nicht mehr über eine solide Basis verfügen, um irgendein Buch des Neuen Testamentes später als 80 n. Chr. zu datieren, also zwei volle Generationen vor der Datierung der radikaleren Textkritik, die bei 130 und 150 angesetzt wird.«[2] In einem Interview mit »Christianity Today« geht er noch weiter, wenn er sagt: »Meiner Ansicht nach wurde jedes Buch des Neuen Testamentes zwischen 40 und 80 des ersten Jahrhunderts von einem getauften Juden geschrieben (wahrscheinlich zwischen 50 und 75 n. Chr.).«

Den Ruf als bester Archäologe aller Zeiten genießt William Ramsay. Er war ein Schüler der deutschen historisch-kritischen Methode, die lehrte, daß die Apostelgeschichte ein Produkt der Mitte des zweiten Jahrhunderts sei und nicht des ersten, wie sie vorgibt. Die Bücher der modernen Kritiker führten ihn zu der Überzeugung, daß es sich bei der Apostelgeschichte nicht um eine vertrauenswürdige Abhandlung von Tatsachen jener Zeit handle (50 n Chr.), und sie damit der weiteren Beachtung eines Historikers nicht wert sei. In seinen

Forschungen zur Geschichte Kleinasiens schenkte Ramsay folglich dem Neuen Testament wenig Aufmerksamkeit. Seine Untersuchungen zwangen ihn schließlich dennoch dazu, die Aufzeichnungen von Lukas mit heranzuziehen. Er erkannte, mit welch großer Genauigkeit und Sorgfalt hier historische Einzelheiten aufgezeichnet waren, und so begann sich seine Einstellung zur Apostelgeschichte allmählich zu ändern. Er mußte eingestehen, daß »Lukas ein Historiker ersten Ranges [war] ... und dieser Autor mit den größten Historikern in eine Reihe gestellt werden kann«. Aufgrund der Detailgenauigkeit und Akkuratesse gab Ramsay schließlich zu, daß es sich bei der Apostelgeschichte nicht um ein Dokument des zweiten Jahrhunderts handeln könne, sondern daß man es mit einem Bericht aus der Mitte des ersten Jahrhunderts zu tun haben müsse.

Viele liberale Theologen sind daher zu einer Vordatierung des Neuen Testamentes gezwungen. Auch Dr. John A. T. Robinson zieht in seinem neuen Buch »Wann entstand das Neue Testament?« erstaunlich radikale Schlüsse. Seine Forschungsarbeit führte ihn zu dem Ergebnis, das gesamte Neue Testament müsse vor dem Fall Jerusalems 70 nach Christus geschrieben worden sein.

Heute heißt es von seiten der Formkritik, daß das Material bis zur Niederschrift in Form von Evangelien durch mündliche Überlieferung weitergegeben worden sei. Obwohl diese Zeitspanne viel kürzer war als ursprünglich angenommen, vertreten die Anhänger dieser Schule die Meinung, daß die Evangelienberichte die Form volkstümlicher antiker Literatur (Legenden, Märchen, Mythen und Gleichnisse) annahmen.

Gegen diese These der Veränderung im Laufe der mündlichen Überlieferung, wie sie von der Formkritik vertreten wird, spricht vor allem, daß die angegebene Zeit zu kurz ist, um die vermeintlichen Abweichungen in der Überlieferung entstehen zu lassen. Bezüglich der Kürze dieser Zeitspanne bis zur Abfassung des Neuen Testamentes schreibt Simon Kistemaker, Professor für Bibelkunde am Dordt-College: »Gewöhnlich benötigt die Entwicklung einer volkstümlichen Kultur bei Menschen einer primitiven Entwicklungsstufe mehrere Generationen, es handelt sich dabei um einen allmählichen Prozeß, der sich über Jahrhunderte erstreckt. Doch in Übereinstimmung mit der formkritischen Denkweise müssen wir annehmen, daß die Erzählungen der Evangelien innerhalb von ein bis zwei Generationen entstanden sind und gesammelt wurden. Verfolgen wir diesen Ansatz weiter, dann haben wir es bei der Entstehung der einzelnen Evangelienteile mit einer verkürzten und verdichteten Darstellung der Ereignisse zu tun.«[4]

Auch A. H. McNeile, ehemaliger Theologieprofessor an der Universität Dublin, stellt das Konzept einer mündlichen Überlieferung, wie es die formkritische Schule vertritt, in Frage. Er weist darauf hin, daß die Formkritiker sich nicht eingehend genug mit der Überlieferung der Worte Jesu befassen. Eine Überprüfung von 1. Korinther 7,10.12.25 zeigt, wie genau diese Worte erhalten geblieben sind und überliefert wurden. In der jüdischen Religion war es im allgemeinen so, daß ein Schüler die Lehre seines Rabbis auswendig lernte. Ein guter Schüler glich einer „verschlossenen Zisterne, die keinen Tropfen verliert« (Mishna Aboth 2,8). Nach C. G. Burneys Theorie soll ein großer Teil der ursprünglich aramäischen Lehre unseres Herrn lyrisch abgefaßt worden sein, damit sie leichter behalten werden konnte.

Paul L. Maier, Professor für Alte Geschichte an der Western Michigan-Universität, schreibt: »Die Argumente, daß die Christenheit den Ostermythos erst über eine längere Zeitperiode hin ausgebrütet habe oder daß die Quellen erst viele Jahre nach dem Ereignis niedergeschrieben worden seien, entsprechen einfach nicht den Tatsachen.«[5] Zur Analyse der Formkritik heißt es bei Albright: »Nur moderne Theologen, die von historischer Methodik und Perspektive nichts wissen, können ein spekulatives Gewebe spinnen wie das, mit dem die Formkritik die Überlieferung der Evangelien umwoben hat.« Albrights eigener Schluß lautet daher: »Eine Zeitperiode von zwanzig bis fünfzig Jahren ist zu kurz, um eine wesentliche Verfälschung des Inhalts oder selbst des Wortlauts der Aussagen Jesu anzunehmen.«[6]

Wenn ich mich mit Menschen über die Bibel unterhalte, erhalte ich oft die sarkastische Antwort, der Bibel sei ohnehin nicht zu trauen. Sie sei immerhin schon vor fast 2000 Jahren verfaßt worden. Sie stecke voller Fehler und Widersprüche. Ich antworte darauf immer, daß ich persönlich der Bibel durchaus vertraue. Dann berichte ich von einer Begebenheit, die sich kürzlich in einer Geschichtsvorlesung zutrug. Ich stellte die Behauptung in den Raum, daß es mehr Beweise für die Zuverlässigkeit und Glaubwürdigkeit des Neuen Testamentes gäbe als für zehn beliebige andere Werke antiker Literatur zusammengenommen. Dem Professor, der auf der anderen Seite des Raumes saß, war die Entrüstung deutlich anzusehen. »Wollen Sie dazu irgendeine Anmerkung machen?« fragte ich ihn. »Mich stört die Dreistigkeit, mit der Sie in einem Geschichtsseminar von der Glaubwürdigkeit des Neuen Testamentes sprechen. Das ist doch einfach lächerlich.« – Nun, ich bin immer dankbar für Offenheit, besonders wenn sie mir die Gelegenheit zu folgender Rückfrage gibt (bislang hat sie keiner positiv beantwortet): »Welche Methode wenden Sie an, um bei einem Dokument antiker Geschichtsschreibung festzustellen, ob es zutreffend und verläßlich ist?« Hier wich er aus. Er konnte keine Methode nennen. Es gibt aber deren mehrere. Ich meine, die historische Glaubwürdigkeit der biblischen Schriften sollte nach denselben Kriterien geprüft werden, wie andere historische Dokumente auch. Der Militärhistoriker C. Sanders führt in diesem Zusammenhang drei Grundprinzipien der Geschichtsschreibung an, die den Realitätsbezug bekunden. Es handelt sich um den bibliographischen Test, den Test der inneren Schlüssigkeit und den Test, der auf äußeren Beweisen beruht.

Bibliographischer Test

Der bibliographische Test versteht sich als Prüfung des Übermittlungsweges, durch den die Dokumente zu uns gelangten. Mit anderen Worten, da die Originalhandschriften fehlen, geht es um die Klärung der Frage, wie verläßlich die Abschriften in Hinblick auf die Zahl der Manuskripte und hinsichtlich des zeitlichen Zwischenraumes von Original und Abschrift sind.

Im Gegensatz zu anderen wichtigen Quellen antiker Literatur finden wir bei neutestamentlichen Manuskripten ein erstaunliches Maß an Authentizität.

Die Geschichtsschreibung des Thukydides (460–400 v. Chr.) ist uns nur auf acht Manuskripten zugänglich, die um 900 n. Chr. datiert sind – also 1300 Jahre nachdem er geschrieben hat. Die Manuskripte der Geschichte des Herodot sind genauso dürftig und ebenso späten Datums, und dennoch meint F. F. Bruce: »Es würde jedoch kein Altphilologe auf den Gedanken kommen, die Echtheit des Herodot oder Thukydides anzuzweifeln, weil die frühesten brauchbaren Manuskripte ihrer Werke mehr als 1300 Jahre jünger sind als die Originale.«[7]

So verfaßte zum Beispiel Aristoteles seine »Poetik« um 343 v. Chr., obwohl die früheste Abschrift, die wir haben, auf 1100 n. Chr. datiert ist. Es besteht also ein zeitlicher Zwischenraum von 1400 Jahren, und nur fünf Manuskripte sind erhalten.

Cäsar trug seine Geschichte der gallischen Kriege zwischen 58 und 50 v. Chr. zusammen, und die Glaubwürdigkeit dieser Manuskripte beruht auf neun oder zehn Kopien, die 1000 Jahre nach seinem Tode entstanden.

Bei der Frage nach der Verläßlichkeit der neutestamentlichen Manuskripte macht die Materialfülle fast verlegen. Nach den ersten Papyrifunden, die die Lücke zwischen der Zeit Jesu und dem 2. Jahrhundert füllten, kam noch eine Fülle anderer Manuskripte ans Licht. Heute gibt es etwa 20 000 Kopien des Neuen Testamentes. Von der Ilias existieren 643 Manuskripte, und sie kommt in der Manuskriptautorität an zweiter Stelle hinter dem Neuen Testament.

Sir Frederic Kenyon, der frühere Direktor und Chefbibliothekar des Britischen Museums, galt als höchste Autorität auf dem Gebiet alter Handschriften. Er kommt zu dem Schluß: »Der Zwischenraum zwischen dem Zeitpunkt der Zusammenstellung und den frühesten noch vorhandenen Beweisstücken verringert sich (durch die jüngsten Funde) so sehr, daß er in der Tat zu vernachlässigen ist. Die letzte Grundlage für Zweifel, ob uns die Schrift im wesentlichen so vermittelt wurde, wie sie zuerst niedergeschrieben wurde, ist beseitigt. Sowohl die Authentizität wie auch die allgemeine Integrität der Bücher des Neuen Testamentes darf als endgültig sichergestellt betrachtet werden.«[8] Als Experte für neutestamentliches Griechisch fügt J. Harold Greenlee hinzu: »Da die Wissenschaftler im allgemeinen die Verläßlichkeit der Manuskripte antiker klassischer Literatur als gegeben betrachten, obwohl sie beträchtliche Zeit nach den Originalen niedergeschrieben wurden und die Anzahl der noch vorhandenen Manuskripte in vielen Fällen sehr gering ist, liegt es auf der Hand, daß die Verläßlichkeit des Neuen Testamentes mindestens ebenso groß ist.«[9]

Die Anwendung der bibliographischen Testmethode auf das Neue Testament läßt erkennen, daß es über größere Manuskriptauthentizität verfügt als irgendein anderes Werk antiker Literatur. Wenn wir jener Autorität noch die über 100 Jahre intensiver neutestamentlicher Textkritik hinzufügen, muß man zu dem Schluß kommen, daß uns ein authentischer neutestamentlicher Text vorliegt.

Überprüfung der Schlüssigkeit in sich selbst

Bei der Überprüfung nach bibliographischen Gesichtspunkten ging es allein um die Feststellung, ob der Text, über den wir heute verfügen, ursprünglich so abgefaßt wurde. Es bleibt daher festzustellen, ob und in welchem Ausmaß dieser schriftliche Bericht glaubwürdig ist. Mit dieser Frage beschäftigt sich die textimmanente Forschung, die C. Sanders als zweiten Test für die Prüfung der Historizität aufführt.

Hier folgt die Literaturkritik immer noch dem Diktum des Aristoteles: »Die Frucht des Zweifels sollte dem Dokument selbst und nicht dem Kritiker zugute kommen.« Oder wie John W. Montgomery zusammenfassend sagt: »Man sollte bei der Analyse auf die Ansprüche des Dokumentes achten und weder Fälschung noch Fehler annehmen, solange der Autor sich nicht selbst durch Widersprüche oder offensichtliche faktische Ungenauigkeiten als unglaubwürdig erweist.«[10]

Der ehemalige Professor für Geschichte an der Universität Chicago, Dr. Louis Gottschalk, erläutert diese historische Methode in einem Handbuch, das von vielen als Grundlage ihrer historischen Forschungsarbeit verwendet wird. Gottschalk weist darauf hin, daß die Fähigkeit des Schreibers oder Zeugen, wahre Aussagen zu machen, bei der Bestimmung seiner Glaubwürdigkeit von entscheidender Bedeutung für den Historiker ist, »selbst wenn es um ein Dokument geht, das unter Gewalt oder aus betrügerischen Motiven entstanden oder auf andere Weise anfechtbar ist, das sich etwa nur auf Hörensagen beruft oder von einem parteiischen Zeugen stammt.«[11]

Diese »Fähigkeit, wahre Aussagen zu machen« ist aufs engste verbunden mit der chronologischen und geographischen Nähe des Schreibers zu den Ereignissen, die er beschreibt. Die neutestamentlichen Berichte über das Leben und die Lehre Jesu wurden von Männern geliefert, die entweder selbst Augenzeugen waren oder jedenfalls Berichte von Augenzeugen des eigentlichen Geschehens und der Aussagen Jesu wiedergaben.

Lukas 1,3: »So habe auch ich's für gut gehalten, nachdem ich alles von Anfang an sorgfältig erkundet habe, es für dich, hochgeehrter Theophilus, in guter Ordnung aufzuschreiben.«

2. Petrus 1,16: »Denn wir sind nicht ausgeklügelten Fabeln gefolgt, als wir euch kundgetan haben die Kraft und das Kommen unseres Herrn Jesus Christus, sondern wir haben seine Herrlichkeit selber gesehen.«

1. Johannes 1,3: »Und was wir gesehen und gehört haben, das verkündigen wir auch euch, damit auch ihr mit uns Gemeinschaft habt; und unsere Gemeinschaft ist mit dem Vater und mit seinem Sohn Jesus Christus.«

Johannes 19,35: »Und der das gesehen hat, der hat es bezeugt, und sein Zeugnis ist wahr, und er weiß, daß er die Wahrheit sagt, damit auch ihr glaubt.«

Lukas 3,1: »Im fünfzehnten Jahr der Herrschaft des Kaisers Tiberius, als Pontius Pilatus Statthalter in Judäa war, und Herodes Landesfürst von Galiläa, sein Bruder Philippus Landesfürst von Ituräa und der Landschaft Trachonitis und Lysanias Landesfürst von Abilene . . .«

Diese Nähe zum berichteten Geschehen ist eine außerordentliche Hilfe, um die Genauigkeit eines Zeugenberichts festzustellen. Der Geschichtsforscher muß jedoch auch damit rechnen, daß der Augenzeuge bewußt oder unbewußt falsche Aussagen macht, obwohl er sich in der Nähe des Geschehens befindet und in der Lage wäre, einen wahrheitsgetreuen Bericht zu liefern. Die neutestamentlichen Berichtc über Christus kamen in Umlauf, als seine Zeitgenossen noch lebten. Diese konnten die Glaubwürdigkeit bestätigen oder widerlegen. In ihrer Verteidigung des Evangeliums machten die Apostel (selbst gegenüber ihren ärgsten Feinden) davon Gebrauch und beriefen sich auf Allgemeinwissen über Jesus. Sie behaupteten nicht nur: »Schaut, wir sahen das . . .« – »wir hörten jenes«, sondern sie drehten auch den Spieß um und sagten den Kritikern: »Ihr wißt ja selbst um diese Dinge . . . Ihr habt sie gesehen, sie sind euch bekannt.« Dieser Hinweis: »Das wißt ihr ja selbst« ist bekanntlich nicht ungefährlich. Ein Fehler im kleinsten Detail kann zur Munition der Kritiker werden.

Apostelgeschichte 2,22: »Ihr Männer von Israel, hört diese Worte: Jesus von Nazareth, von Gott unter euch ausgewiesen durch mächtige Taten und Wunder und Zeichen, die Gott durch ihn in eurer Mitte getan hat, wie ihr selbst wißt . . .«

Apostelgeschichte 26,24–28: »Als er (Paulus) aber dies zu seiner Verteidigung sagte, sprach Festus mit lauter Stimme: Paulus, du bist von Sinnen! Das große Wissen macht dich wahnsinnig. Paulus aber sprach: Edler Festus, ich bin nicht von Sinnen, sondern ich rede wahre und vernünftige Worte. Der König, zu dem ich frei und offen rede, versteht sich auf diese Dinge. Denn ich bin gewiß, daß ihm nichts davon verborgen ist; denn dies ist nicht im Winkel geschehen.«

Was den Wert der neutestamentlichen Berichte als Primärquelle angeht, so sagt F. F. Bruce, Professor für Bibelkritik und Exegese an der Universität Manchester: »Zudem hatten die ersten Prediger nicht nur mit freundschaftlich gesonnenen Augenzeugen zu rechnen; es gab andere, die weniger wohlwollend, aber dennoch mit den Haupttatsachen von Jesu Wirken und Tod vertraut waren. Die Jünger konnten sich Ungenauigkeiten einfach nicht leisten (von bewußten Verdrehungen der Tatsachen ganz zu schweigen), weil sie sofort von denen aufgedeckt worden wären, die nur zu sehr auf eine solche Gelegenheit warteten. Im Gegenteil: Die Stärke der frühen apostolischen Predigt ist der zuversichtliche Appell an das Wissen der Hörer. Die Apostel sagten nicht nur: ›Wir sind Zeugen dieser Dinge‹, sondern auch ›wie ihr selbst wißt‹ (Apg 2,22). Hätte sich irgendeine Tendenz gezeigt, von den Tatsachen abzuweichen, so würden die unter den Zuhörern oft genug anwesenden Augenzeugen zweifellos eine Richtigstellung herbeigeführt haben.«[7]

Auch Lawrence J. McGinley vom Saint Peter's College macht auf den Stellenwert der feindlichen Augenzeugen in Verbindung mit den aufgezeichneten Ereignissen aufmerksam: »Zunächst waren die Augenzeugen der fraglichen Geschehnisse immer noch am Leben, als die Überlieferung schon in ihrer späteren Form feststand, und zudem befanden sich unter ihnen erbitterte Gegner der neuen religiösen Bewegung. Doch die Überlieferung erhob den Anspruch, von einer Reihe wohlbekannter Taten und öffentlich verkündeter Lehren zu berichten, zu einem Zeitpunkt, an dem falsche Behauptungen hätten angegriffen werden können und sicher auch angegriffen worden wären.«[12]

Als Neutestamentler an der Universität von Chicago kommt Robert Grant zu dem Schluß: »Zur Zeit ihrer (der synoptischen Evangelien) Aufzeichnung oder mutmaßlichen Aufzeichnung waren Augenzeugen vorhanden, und ihr Zeugnis konnte nicht unbeachtet bleiben ... Dies wiederum bedeutet, daß die Evangelien als weithin glaubhafte Zeugnisse des Lebens, Todes und der Auferstehung Jesu bezeichnet werden müssen.«[13]

Der Historiker Willi Durant, der eine lebenslange Erfahrung in der Analyse antiker Berichte mitbringt, schreibt: »Trotz der Vorurteile und der theologischen Voreingenommenheit der Evangelisten berichten sie viele Ereignisse, die bei einer reinen Erfindung der Geschichten sicher vermieden worden wären – der Streit der Apostel um eine hohe Stellung im Reich Gottes, ihre Flucht nach der Gefangennahme Jesu, Petri Verleugnung, die Bemerkungen einiger seiner Zuhörer bezüglich seines möglichen Wahnsinns, seine anfängliche Unsicherheit seinem Auftrag gegenüber, sein Bekenntnis, keine Auskunft über den Verlauf der Zukunft geben zu können, seine Momente von Enttäuschung, sein verzweifelter Schrei am Kreuz – niemand, der diese Szene liest, kann die Realität dahinter bezweifeln. Daß eine Handvoll einfacher Männer in einer Generation eine solch mächtige und eindrückliche Persönlichkeit, solche ethischen Grundsätze und dazu eine derartig mitreißende Vision der Brüderlichkeit aller Menschen erfunden haben sollten, dieses Wunder wäre an sich schon weit größer als jedes der in den Evangelien aufgezeichneten. Nach zwei Jahrhunderten ›höherer Kritik‹ bleiben uns klare Entwürfe des Lebens, Wesens und der Lehre Christi und bieten das faszinierendste Bild der Menschheitsgeschichte.«[14]

Der Test nach äußeren Beweisen

Als dritter Test für die geschichtliche Authentizität gelten die Beweise außerhalb des Textes. Man untersucht sekundäres historisches Material auf die Frage hin, ob es das innere Zeugnis der Dokumente selbst be- oder entkräftigt. Dabei gilt es zunächst, Quellen ausfindig zu machen, die Licht auf das textimmanente Zeugnis der eigentlichen Dokumente werfen könnten.

Der New Yorker Historiker Gottschalk meint, »Konformität oder Übereinstimmung mit anderen erhaltenen historischen Daten oder wissenschaftlichen Tatsachen ist oft der entscheidende Beweis für die Glaubwürdigkeit, sei es nun eines oder mehrerer Zeugen.«[11]

So bestätigen zwei Freunde des Apostels Johannes dessen Berichte. Der Historiker Eusebius hat die Aufzeichnungen von Papias, dem Bischof von Hierapolis (130 n. Chr.) festgehalten: »Der Älteste (der Apostel Johannes) pflegte zu sagen: ›In seiner Funktion als Übersetzer von Petrus schrieb Markus sorgfältig alles nieder, was dieser (Petrus) erwähnte, Aussagen Jesu genauso wie seine Taten – wenn auch nicht immer in der richtigen Reihenfolge. Denn er war weder ein Zuhörer noch ein Jünger des Herrn, begleitete jedoch später Petrus, der die Lehre des Herrn nach den Gegebenheiten der jeweiligen Situation verkündete, ohne dabei jedesmal ein Gesamtbild der Botschaft Jesu vermitteln zu wollen. Markus beging daher durchaus keinen Fehler, wenn er entsprechend die Dinge so niederschrieb, wie Petrus sie berichtete; denn er achtete sehr darauf, daß er nichts, was er hörte, ausließ oder etwa Falsches hinzufügte.«[15]

»Markus hat die Worte und Taten des Herrn, an die er sich als Dolmetscher des Petrus erinnerte, genau, allerdings nicht der Reihe nach, aufgeschrieben. Denn er hatte den Herrn nicht gehört und begleitet; wohl aber folgte er später, wie gesagt, dem Petrus, welcher seine Lehrvorträge nach den Bedürfnissen einrichtete; nicht aber so, daß er eine zusammenhängende Darstellung der Reden des Herrn gegeben hätte. Es ist daher keineswegs ein Fehler des Markus, wenn er einiges so aufzeichnete, wie es ihm das Gedächtnis eingab. Denn für eines trug er Sorge: nichts von dem, was er gehört hatte auszulassen oder sich im Berichte keiner Lüge schuldig zu machen.«

Irenäus, der Bischof von Lyon (180 n. Chr., er war ein

Schüler von Polykarp, dem Bischof von Smyrna, der auf 86 Jahre Christenleben zurückschauen konnte und als Jünger des Apostels Johannes galt) schrieb: »Matthäus veröffentlichte sein Evangelium im Kreis der Hebräer (d. h. der Juden) in deren Muttersprache, während Petrus und Paulus in Rom das Evangelium verkündigten und die Gemeinden dort gründeten. Nach ihrem Weggang (d. h. nach ihrem Tod, der der Überlieferung nach zur Zeit der Verfolgung unter Nero, 64 n. Chr. gewesen sein dürfte) gab Markus, der Jünger und Übersetzer des Petrus, den Inhalt seiner Predigten schriftlich an uns weiter. Lukas, als Begleiter von Paulus, hielt dagegen in einem Buch das von seinem Lehrer verkündigte Evangelium fest. Johannes schließlich, als der Jünger, der sich an des Herrn Brust gelehnt hatte (wie wir aus Johannes 13,25 und 21,20 entnehmen können), schuf während seines Aufenthaltes in Ephesus, in Kleinasien, sein eigenes Evangelium.«

Die Archäologie liefert oft eindrückliche äußere Beweise. Sie trägt zur Bibelforschung bei, nicht auf dem Gebiet von Inspiration und Offenbarung, sondern indem sie genaue Beweise für dokumentierte Geschehnisse erbringt. So schreibt der Archäologe Joseph Free: »Die Archäologie bestätigt zahllose Schriftstellen, die von den Kritikern entweder als unhistorisch oder als im Widerspruch zu bekannten Tatsachen stehend abgelehnt wurden.«[16]

Wir haben bereits gesehen, daß Sir William Ramsay, aufgrund seiner archäologischen Forschungen, seine anfänglich negative Einstellung zur Historizität von Lukas ändern mußte, und daß er zu der Überzeugung kam, daß die Apostelgeschichte genaue Daten über Geographie, Bauwerke und die Gesellschaft Kleinasiens liefert.

F. F. Bruce schreibt: »Man hat Lukas der Ungenauigkeit verdächtigt. Seine Genauigkeit wurde aber durch alte Inschriften erwiesen. Es ist also durchaus legitim zu behaupten, daß die Archäologie den Bericht des Neuen Testamentes bestätigt hat.«[17]

Der Althistoriker A. N. Sherwin-White betont, die Belege für die geschichtliche Authentizität der Apostelgeschichte seien überwältigend. »Jeder Versuch, die grundsätzliche Geschichtlichkeit auch nur in Einzelheiten anzweifeln zu wollen, ist absurd. Schon die römischen Geschichtsschreiber hatten sie als gegeben angenommen.«

Auch meine Versuche, an der geschichtlichen Authentizität und Gültigkeit der Schrift zu rütteln, brachten mich zu dem Schluß, daß sie, was geschichtliche Aussagen angeht, verläßlich ist. Wenn man die Bibel in diesem Punkt für unzuverlässig hält, dann muß dies für nahezu die gesamte antike Literatur gelten. Ich werde ständig mit dem Problem konfrontiert, daß man bei der Prüfung von säkularen Texten mit einem anderen Maß messen will als bei der Prüfung der Bibel. Wir müssen jedoch grundsätzlich den gleichen Maßstab anlegen, ob es sich bei dem zu prüfenden Material nun um säkulare oder religiöse Literatur handelt. Da wir diese Voraussetzung erfüllt haben, glaube ich sagen zu können: Die Bibel ist glaubwürdig und historisch zuverlässig in ihrem Zeugnis von Jesus Christus.

Dr. Clark H. Pinnock, Professor für Systematische Theologie am Regent College, sagt: »Kein anderes antikes Dokument ist so ausgezeichnet textlich und historisch belegt und liefert so hervorragende historische Daten, als Basis einer vernünftigen Entscheidung. Kein Mensch kann, wenn er ehrlich ist, eine solche Quelle von der Hand weisen. Jede Skepsis bezüglich der historischen Glaubwürdigkeit des Christentums beruht daher auf irrationalen (aus der Ablehnung des Übernatürlichen stammenden) Vorurteilen.«[18]

KAPITEL 5

Für eine Lüge sterben?

Bei Angriffen gegen das Christentum wird oft die Verwandlung übersehen, die die Apostel und Jünger erfahren haben. Die Tatsache, daß ihr Leben von Grund auf anders wurde, ist ein deutliches Indiz für die Gültigkeit seines Anspruchs. Der christliche Glaube ist ein historischer Glaube. Wir müssen uns daher bei seiner Untersuchung vor allem auf – mündliche und schriftliche – Zeugenaussagen stützen.

Es gibt viele Definitionen von »Geschichte«. Ich halte diese für die treffendste: Geschichte ist »bezeugtes Wissen von der Vergangenheit.« Wenn jemand dagegen Einwände erhebt, frage ich zurück: »Glauben Sie, daß Napoleon gelebt hat?« Fast immer lautet die Antwort: »Selbstverständlich.« »Haben Sie ihn denn gesehen?« hake ich weiter nach, und mein Gesprächspartner verneint erstaunt. »Woher wissen Sie es dann?« Man stützt sich auf zeitgenössische Zeugen!

Meine Definition von Geschichte hat jedoch einen schwachen Punkt. Die Geschichtsschreibung muß zuverlässig sein, sonst wird der Leser falsch informiert. Da es sich auch beim Christentum um »bezeugtes Wissen von der Vergangenheit« handelt, müssen wir fragen: »Waren die primären mündlichen Zeugnisse von Jesus glaubwürdig? Können wir sicher sein, daß die Worte und Taten Jesu korrekt wiedergegeben wurden? Ich glaube, ja.

Ich vertraue den Zeugenaussagen der Apostel deswegen, weil elf dieser zwölf Männer den Märtyrertod erlitten. Sie gingen in den Tod, weil sie an die Auferstehung Christi und an Christus als den Sohn Gottes glaubten. Sie wurden gefoltert und ausgepeitscht. Und schließlich wurden sie mit den grausamsten der damals bekannten Hinrichtungsmethoden zu Tode gebracht:

1) Petrus – gekreuzigt
2) Andreas – gekreuzigt
3) Matthäus – Tod durch das Schwert
4) Johannes – natürlicher Tod
5) Jakobus, Sohn des Alphäus – gekreuzigt
6) Philippus – gekreuzigt
7) Simon – gekreuzigt
8) Thaddäus – durch Pfeilschuß getötet
9) Jakobus, der Bruder Jesu – gesteinigt
10) Thomas – mit einem Speer erschlagen
11) Bartholomäus – gekreuzigt
12) Jakobus, Sohn des Zebedäus – Tod durch das Schwert

Die übliche Antwort darauf lautet: »Es sind schon viele Menschen für eine Lüge gestorben; was beweist das schon?«

Ja, viele Menschen sind schon für eine Lüge gestorben. Sie selbst hielten sie jedoch für Wahrheit. Wenn die Auferstehung wirklich nicht stattgefunden hat, dann wußten die Jünger darüber Bescheid. Ich finde nirgendwo einen Anhaltspunkt dafür, daß sie irregeleitet waren. Unter diesen Umständen wären diese elf Männer also nicht nur objektiv für eine Lüge gestorben – und hier liegt der Haken – sondern auch mit dem subjektiven Bewußtsein, daß es eine Lüge war.

Um ihr Verhalten richtig beurteilen zu können, müssen wir verschiedene Faktoren bedenken. Die Apostel waren Augenzeugen all dessen, was sie schriftlich und mündlich weitergaben.

Petrus sagte: »Denn wir sind nicht ausgeklügelten Fabeln gefolgt, als wir euch kundgetan haben die Kraft und das Kommen unsers Herrn Jesus Christus, sondern wir haben seine Herrlichkeit selber gesehen« (2. Petr 1,16). Hieraus ersehen wir, daß die Apostel ganz sicher den Unterschied zwischen Mythos, Fabel bzw. Legende und Wirklichkeit kannten.

Johannes betont, daß viele Juden Augenzeugen waren: »Was von Anfang an war, was wir gehört, was wir gesehen haben mit unsern Augen, was wir betrachtet haben und unsre Hände betastet haben, vom Wort des Lebens – und das Leben ist erschienen und wir haben gesehen und bezeugen und verkündigen euch das Leben, das ewig ist, das bei dem Vater war und uns erschienen ist –; was wir gesehen und gehört haben, das verkündigen wir auch euch, damit auch ihr mit uns Gemeinschaft habt, und unsere Gemeinschaft ist mit dem Vater und mit seinem Sohn Jesus Christus« (1. Joh 1,1–3).

Lukas sagte: »Viele haben es schon unternommen, Bericht zu geben von den Geschichten, die unter uns geschehen sind, wie uns das überliefert haben, die es von Anfang an selbst gesehen haben und Diener des Worts gewesen sind. So habe auch ich's für gut gehalten, nachdem ich alles von Anfang an sorgfältig erkundet habe, es für dich, hochgeehrter Theophilus, in guter Ordnung aufzuschreiben« (Lk 1,1–3).

In der Apostelgeschichte beschreibt Lukas dann die vierundvierzig Tage nach der Auferstehung, in denen seine Jünger Jesus mit eigenen Augen beobachten und sich ein genaues Urteil bilden konnten: »Den ersten Bericht habe ich gegeben, lieber Theophilus, von alldem, was Jesus von Anfang an tat und lehrte, bis zu dem Tag, an dem er aufgenommen wurde, nachdem er den Aposteln, die er erwählt hatte, durch den heiligen Geist Weisung gegeben hatte. Ihnen zeigte er sich nach seinem Leiden durch viele Beweise als der Lebendige und ließ sich sehen unter ihnen 40 Tage lang und redete mit ihnen vom Reich Gottes« (Apg 1,1–3).

Johannes leitet den letzten Abschnitt seines Evangeliums mit den Worten ein: »Noch viele andere Zeichen tat Jesus vor seinen Jüngern, die nicht geschrieben sind in diesem Buche« (Joh 20,30).

Die Beschreibungen der Augenzeugen handeln in der Hauptsache von der Auferstehung. Die Apostel waren Zeugen von Jesu Auferstehungsleben:

Lukas 24,48	Johannes 15,27
Apostelgeschichte 1,8	Apostelgeschichte 2,24.32
Apostelgeschichte 3,15	Apostelgeschichte 4,33
Apostelgeschichte 5,32	Apostelgeschichte 10,39
Apostelgeschichte 10,41	Apostelgeschichte 13,31
Apostelgeschichte 22,15	Apostelgeschichte 23,11
Apostelgeschichte 26,16	1. Korinther 15,4–9
1. Korinther 15,15	1. Johannes 1,2

Die Apostel mußten zunächst einmal selbst davon überzeugt werden, daß Jesus von den Toten auferstanden war. Zuerst erschien ihnen das absurd. Sie liefen davon und hielten sich versteckt (Mk 14,50). Sie äußerten erhebliche Zweifel. Erst nach einem deutlichen und offensichtlichen Beweis glaubten sie selbst. Dann war da Thomas, der sagte, er würde nicht glauben, daß Christus von den Toten auferstanden sei, bevor er nicht seine Finger in die Nägelmale gelegt hätte. Thomas starb später den Märtyrertod für Christus. War er getäuscht worden? Er gab sein Leben als Pfand für seinen Glauben.

Oder Petrus. Während der Gerichtsverhandlung verleugnete er Christus mehrere Male. Schließlich verließ er ihn. Doch dann muß etwas mit diesem »Feigling« passiert sein. Nur kurze Zeit nach Christi Kreuzigung und Grablegung trat Petrus in Jerusalem öffentlich auf und predigte, trotz Todesandrohung, freimütig, Jesus sei der Christus, und er sei auferstanden. Am Ende wurde Petrus kopfüber gekreuzigt. War er getäuscht worden? Was war mit ihm geschehen? Warum war er plötzlich wie umgedreht und kämpfte ohne Rücksicht auf sich selbst für die Sache Jesu? Warum war er bereit, für ihn zu sterben? Die einzige befriedigende Erklärung steht in 1. Korinther 15,5: »...er ist Kephas (Petrus) erschienen« (Joh 1,42).

Ein klassisches Beispiel eines Menschen, der gegen seinen ursprünglichen Willen zu einer neuen Überzeugung kommt, ist Jakobus, der Bruder Jesu (Mt 13,55; Mk 6,3). Obwohl Jakobus nicht zum Kreis der ersten zwölf Jünger gehörte (Mt 10,2–4), wurde er später als Apostel (Gal 1,19) betrachtet – wie auch Paulus und Barnabas (Apg 14,14). Zu Jesu Lebzeiten glaubte Jakobus nicht, daß er der Sohn Gottes sei (Joh 7,5). Zusammen mit seinen Brüdern und Schwestern hat er sich vielleicht sogar über ihn lustig gemacht. »Du willst, daß die Leute an dich glauben? Warum gehst du dann nicht nach Jerusalem hinauf, um dich zu profilieren?« Es muß Jakobus recht peinlich gewesen sein, daß Jesus umherzog und durch seine kühnen Ansprüche den Namen der Familie verunglimpfte und ihr manchen Spott einbrachte (wenn er zum Beispiel behauptete: »Ich bin der Weg, die Wahrheit und das Leben; niemand kommt zum Vater, denn durch mich« Joh 14,6; »Ich bin der Weinstock, ihr seid die Reben« Joh 15,5; »Ich bin der gute Hirte und... die Meinen kennen mich« Joh 10,14). Was würden wir wohl denken, wenn unser Bruder solche Behauptungen aufstellte?

Aber irgend etwas muß auch mit Jakobus geschehen sein. Nachdem Jesus tot und begraben war, verkündigte er in Jerusalem die Botschaft, daß Jesus für die Sünden der Menschen gestorben sei. Er sei auferweckt worden und lebe. Schließlich wurde Jakobus einer der Gemeindeleiter von Jerusalem und verfaßte ein Buch der Bibel, den Jakobusbrief. Er beginnt mit den Worten: »Jakobus, Knecht Gottes und des Herrn Jesus Christus« – und dies als sein Bruder. Am Ende erlitt auch er den Märtyrertod. Der jüdische Historiker Josephus berichtet, daß er auf Veranlassung des Hohenpriesters Ananias gesteinigt wurde. War Jakobus betrogen worden? Die einzig plausible Erklärung findet sich auch hier in 1. Korinther 15,7, »danach erschien er Jakobus«.

Wenn die Auferstehung eine Lüge war, wußten es die Apostel. Waren sie Komplizen eines riesenhaften Betrugs? Diese Möglichkeit steht im Widerspruch zu dem, was wir über die moralische Qualität ihres gesamten Lebens wissen. Sie lehnten die Lüge kategorisch ab und traten für Ehrlichkeit ein. Immer wieder forderten sie die Menschen auf, sich an die Wahrheit zu halten. In seinem berühmten Buch »Die Geschichte des Niedergangs und Zerfalls des Römischen Reiches« nennt der Historiker Edward Gibbon die »reinere aber auch strengere Moral der ersten Christen« als einen der fünf Gründe für die ungewöhnlich schnelle Verbreitung des Christentums. Michael Green, Rektor des St. John's College in Nottingham, meint, daß »es der Glaube an die Auferstehung war, der die demoralisierten Jünger eines gekreuzigten Rabbi in jene mutigen Zeugen und Märtyrer der ersten Gemeinden verwandelte. Diese eine Überzeugung trennte die Jünger Jesu auch von den anderen Juden und ließ sie zu einer Gemeinschaft der Auferstehung werden. Man konnte sie ins Gefängnis werfen, sie auspeitschen, töten, aber sie nicht zum Widerruf ihrer Überzeugung bringen, daß er ›am dritten Tag wieder auferstand‹.«[1]

Auch der freimütige Auftritt der Apostel, sobald sie von der Tatsache der Auferstehung überzeugt worden waren, läßt es unwahrscheinlich erscheinen, daß alles reiner Schwindel war. Ihre plötzliche Freimütigkeit kam fast über Nacht. Petrus, der Jesus verleugnet hatte, stand sogar unter Todesandrohung auf und verkündete, Jesus sei auferstanden und am Leben. Die staatlichen Behörden nahmen die Schüler Jesu gefangen und züchtigten sie. Doch sie waren bald wieder auf der Straße, um öffentlich von Jesus zu reden (Apg 5,40–42). Freunden konnte ihre Standfestigkeit und Gegnern ihr Mut nicht entgehen. Zudem fand all das nicht an einem abgelegenen Ort, sondern mitten in Jerusalem statt.

Ohne von der Auferstehung überzeugt zu sein, hätten die Jünger Jesu bestimmt nicht in dieser Weise Folterung und Tod durchstehen können. Die Einmütigkeit ihrer Botschaft und ihres Verhaltens ist beeindruckend. Gewöhnlich ist es fast unmöglich, in einer großen Gruppe zu einer von allen geteilten Überzeugung zu gelangen, und doch betrachtet jeder von ihnen die Auferstehung als Tatsache. Wenn sie alle verschlagene Betrüger waren, wie erklärt es sich dann, daß keiner von ihnen unter Druck ein Geständnis ablegte?

Der französische Philosoph Blaise Pascal schreibt: »Die Behauptung, die Apostel seien Schwindler, ist ziemlich absurd. Doch verfolgen wir diese Anschuldigung einmal bis zu ihrem logischen Ende: Stellen wir uns also zwölf Männer vor, die sich nach dem Tode Jesu Christi treffen, eine Verschwörung bilden, er sei auferstanden. Das wäre einem Angriff auf die staatlichen und religiösen Strukturen gleichgekommen. Das menschliche Herz ist dem Wankelmut und der Veränderung unterworfen. Es wird durch Versprechungen verlockt und von materiellen Dingen versucht. Wenn daher einer dieser Männer den lockenden Versuchungen oder der deutlichen Sprache von Gefängnis und Folter nachgegeben hätte, so wären alle verloren gewesen.«

»Wie konnte es geschehen«, fragt Michael Green, »daß aus ihnen, fast über Nacht, unbezähmbare Männer wurden, die in 3 Kontinenten dem Widerstand, dem Zynismus, dem Spott, der Bedrängnis, dem Gefängnis und dem Tod trotzten, während sie überall Jesus und die Auferstehung predigten?«[2]

Ein unbekannter Schriftsteller beschreibt die Verwandlung, die im Leben der Apostel stattfand: »Am Tag der Kreuzigung waren sie voll Trauer, am ersten Tag der Woche dagegen voll Freude. Bei der Kreuzigung waren sie hoffnungslos, am ersten Tag der Woche strahlten ihre Herzen Sicherheit und Hoffnung aus. Als die Botschaft von der Auferstehung sie das erste Mal erreichte, waren sie skeptisch und nur schwer zu überzeugen, doch nachdem sie einmal Gewißheit erlangt hatten, kamen ihnen nie wieder Zweifel. Was hat wohl in solch kurzer Zeit eine derartige Veränderung in diesen Männern bewirkt? Allein die Tatsache, daß der Körper nicht mehr im Grab lag, hätte sicher nie ihren Mut und ihr Wesen verändern können. Drei Tage reichen nicht aus, um eine Legende entstehen zu lassen, die sie so tiefgreifend berühren konnte. Für das Wachsen einer Legende ist Zeit notwendig. Das psychologische Phänomen der Veränderung erfordert eine befriedigende Erklärung. Denken wir doch an den Charakter der Zeugen, jener Männer und Frauen, denen die Welt die höchste ethische Lehre verdankt, die je existierte und die diese sogar – nach Aussage ihrer Feinde – in ihrem Leben auslebten. Bedenken wir doch, wie absurd es vom psychologischen Standpunkt aus ist, daß eine kleine Schar zerschmetterter Feiglinge, die sich anderthalb Tage lang in einem Dachgeschoß zusammenkauert, sich wenige Tage später in eine Gruppe verwandelt, die keine Verfolgung mehr zum Schweigen bringen kann. – Und diese dramatische Veränderung schreiben wir dann einer schlechten Erfindung zu, die sie der Welt weiszumachen suchten. Das ergibt doch überhaupt keinen Sinn.«

Kenneth Scott Latourette schreibt dazu: »Die Wirkungen, die die Auferstehung und das Kommen des Heiligen Geistes auf die Jünger ausübte ... waren von großer Bedeutung. Aus entmutigten, desillusionierten Männern und Frauen, die den Tagen nachtrauerten, in denen sie noch gehofft hatten, Jesus sei der, der Israel erlösen würde, wurde eine Schar begeisterter, standhafter Zeugen.«[3]

Paul Little fragt: »Sind diese Männer, die zur Umwandlung der moralischen Struktur der Gesellschaft beitrugen, denn nun Schwindler oder gar Geisteskranke? Es ist schwieriger, an diese Möglichkeiten zu glauben, als an die Tatsache der Auferstehung. Diese Behauptungen werden nämlich nicht von einem einzigen Beweis gestützt.«[4]

Die Standfestigkeit der Apostel bis in den Tod hinein kann nicht geleugnet werden. Nach der Encyclopaedia Britannica berichtet Origines, daß Petrus mit dem Kopf nach unten gekreuzigt wurde. Herbert Workman beschreibt den Tod des Petrus wie folgt: »Somit wurde Petrus, wie unser Herr es prophezeit hatte, von einem anderen gegürtet und auf die Straße des Aurelius hinaus zu seinem Tode geführt – an einen Ort, der nahe den Gärten Neros auf dem Vatikanshügel liegt, an dem so viele seiner Brüder bereits einen grausamen Tod erlitten hatten. Auf seine eigene Bitte hin wurde er mit dem Kopf nach unten gekreuzigt, weil er es für unwürdig hielt, wie sein Meister zu leiden.«[5]

In seinem historischen Werk schreibt Harold Mattingly: »Die Apostel Petrus und Paulus besiegelten ihr Zeugnis mit ihrem eigenen Blut.«[6] Von Tertullian lesen wir, daß »kein Mensch zum Sterben bereit ist, es sei denn für die Wahrheit«. Als Juraprofessor in Harvard hielt Simon Greenleaf über Jahre hinweg Vorlesungen darüber, wie man eine Zeugenaussage analysieren und feststellen kann, ob ein Zeuge lügt oder nicht. Er kommt zu dem Schluß: »Selbst die Annalen der Militärgeschichte liefern kaum ein Beispiel ähnlich heldenhafter Standfestigkeit, Geduld und unbeugsamen Mutes. Sie (die Apostel) waren durchaus dazu befähigt und motiviert, sorgfältig die Basis ihres Glaubens und die Beweise für die gewaltigen Tatsachen und Wahrheiten zu überprüfen, die sie behaupteten.«[7]

Die Apostel gingen durch die Prüfung des Todes, um die Wahrhaftigkeit ihrer Aussagen zu erhärten. Ich denke, wir können ihrem Zeugnis mehr Glauben schenken als dem der meisten Menschen, denen wir heute begegnen – die nicht bereit sind, für das, was sie glauben, auch einzustehen, geschweige denn dafür zu sterben.

KAPITEL 6

Wem nützt ein toter Messias?

Viele Menschen sind schon für eine gute Sache gestorben; wie der Student, der sich in San Diego aus Protest gegen den Vietnamkrieg verbrannte. In den sechziger Jahren verbrannten sich viele Buddhisten, um die Aufmerksamkeit der Welt auf Südostasien zu lenken.

Die gute Sache, die die Apostel vertraten, hat den Haken, daß sie am Kreuz gestorben ist. Sie glaubten, Jesus sei der Messias. Sein Tod schien ihnen unmöglich. Sie waren überzeugt, er würde das Reich Gottes aufrichten und über Israel herrschen.

Um das Verhältnis der Apostel zu Christus richtig beurteilen und verstehen zu können, warum das Kreuz für sie so unverständlich war, müssen wir uns die zur Zeit Jesu herrschende Messiasauffassung vergegenwärtigen.

Das Leben und die Lehre Jesu standen in deutlichem Widerspruch zur gängigen jüdischen Messiaserwartung jener Tage. Die Juden wurden von Kind auf gelehrt, der Messias käme als Herrscher, als siegreicher, politischer Führer. Er würde sie aus ihrer Unterdrückung befreien und Israel wieder zu seiner rechtmäßigen Stellung verhelfen. Ein leidender Messias – diese Idee war dem jüdischen Messiasbild völlig fremd (obwohl schon Jesaja den leidenden Gottesknecht verkündigt hatte).

E. F. Scott beurteilt die Zeit Jesu wie folgt: »... es gärte. Die religiösen Führer standen vor der nahezu unmöglichen Aufgabe, die brennende Erwartung der Menschen zu bremsen, die überall auf die Erscheinung des verheißenen Befreiers warteten. Die Ereignisse der jüngsten Geschichte hatten diese Erwartungsstimmung erst recht angefacht ...

Seit mehr als einer Generation hatten die Römer die

jüdische Freiheit eingeschränkt und ihre Unterdrükkungsmaßnahmen schürten den Patriotismus immer mehr. Der Traum einer wundersamen Befreiung und eines messianischen Königs, der dies bewirken könne, nahm in dieser kritischen Zeit eine neue Form an, war jedoch von seiner Idee her keineswegs neu. Hinter dieser Bewegung, die auch in den Evangelien zu Tage tritt, können wir eine lange Zeit zunehmender Erwartung erkennen ...

Für die meisten blieb der Messias, was er schon für die Zeitgenossen des Jesaja war – der Sohn Davids, der der jüdischen Nation Sieg und Wohlstand bringen würde. Im Lichte der entsprechenden Stellen des Evangeliums kann kaum in Frage gestellt werden, daß das Volk einen nationalen und politischen Messias erwartete.«[1]

Der jüdische Gelehrte Joseph Klausner schreibt: »Der Messias wurde in zunehmendem Maße nicht nur als außergewöhnlicher politischer Führer, sondern auch als Mann mit herausragenden moralisch-ethischen Qualitäten gesehen.«[2]

Jakob Gartenhaus meint in seinem Essay ›Die jüdische Vorstellung vom Messias‹: »Die Juden warteten auf einen Messias, der sie von der römischen Unterdrückung befreien sollte ... die messianische Hoffnung richtete sich in der Hauptsache auf eine Volksbefreiung.«

Die »Jewish Encyclopaedia« führt aus, daß die Juden sich »nach dem verheißenen Befreier aus dem Hause Davids sehnten, der sie vom Joch der verhaßten Gewaltherrscher erlösen, der heidnischen römischen Herrschaft ein Ende bereiten und statt dessen sein Reich des Friedens und der Gerechtigkeit aufrichten würde«

Zu jener Zeit suchten die Juden Zuflucht in der Messiasverheißung. Und die Apostel teilten die Hoffnungen ihrer Umwelt. Millar Burrows stellt fest: »Jesus entsprach so wenig dem, was sich die Juden unter dem Sohn Davids vorstellten, daß seine eigenen Jünger es nahezu unmöglich fanden, die Idee des Messias mit ihm in Verbindung zu bringen.«[3] Seine ernsten Leidensankündigungen stießen bei den Jüngern durchaus nicht auf Sympathie (Lk 9,22). »Sie schienen die Hoffnung zu haben«, meint A. B. Bruce, »daß Jesus die Lage zu negativ einschätzte und daß sich seine Befürchtungen als grundlos erweisen würden . . . ein gekreuzigter Christus war ein Skandal und etwas in sich Widersprüchliches für die Apostel; wie er es auch für die Mehrheit des jüdischen Volkes nach seiner Erhöhung in die Herrlichkeit blieb.«[4]

Alfred Edersheim, ehemals Dozent für die Septuaginta in Oxford, ist daher im Recht, wenn er schließt, »daß Christus und seine Zeit äußerste Gegensätze bildeten«.

Das Neue Testament enthüllt uns die Haltung der Apostel gegenüber Christus: Auch sie erwarteten einen herrschenden Messias. Nachdem Jesus seinen Jüngern erklärt hatte, daß er nach Jerusalem gehen müsse, um zu leiden, forderten Jakobus und Johannes von ihm das Versprechen, in seinem Reich zu seiner Rechten und zu seiner Linken sitzen zu dürfen (Mk 10,32–38). Woran dachten sie? An einen leidenden, gekreuzigten Messias? Nein, an einen politischen Führer! Jesus machte ihnen deutlich, daß sie seine Absichten mißverstanden; sie wußten nicht, um was sie baten. Als Jesus sein Leiden und seine Kreuzigung ankündigte, konnten die zwölf Apostel sich nicht erklären, was er damit meinte (Lk 18,31–34). Ihre Erfahrungswelt und die Lehre, mit der sie aufgewachsen waren, ließen sie glauben, daß sie sich auf eine tolle Sache eingelassen hatten. Dann kam Golgatha. Alle Hoffnungen auf Jesus als Messias wurden zunichte. Entmutigt kehrten sie nach Hause zurück. Die Jahre mit ihm – sie waren reine Zeitverschwendung.

Dr. George Eldon Ladd, Professor für Neues Testament am Fuller Theological Seminary, schreibt: »Auch aus diesem Grund verließen ihn die Jünger, als er gefangengenommen wurde. Sie hatten sich auf einen erobernden Messias eingestellt, der die Aufgabe hatte, seine Feinde zu unterwerfen. Als sie ihn unter der Geißel zerschunden und blutend sahen, als hilflosen Gefangenen in den Händen des Pilatus, abtransportiert, ans Kreuz genagelt, um zu sterben wie ein gemeiner Verbrecher, war jede messianische Hoffnung auf Jesus zerstört. Eine gute alte psychologische Regel besagt: ›Wir hören nur das, was wir hören wollen!‹ Jesu Leidens- und Todesankündigungen stießen auf taube Ohren. Die Jünger waren trotz seiner Ermahnungen unvorbereitet....«[5]

Doch wenige Wochen nach der Kreuzigung verkündigten die Jünger, ungeachtet ihrer vorherigen Zweifel, in Jerusalem Jesus als Erlöser und Herrn, als den Messias der Juden. Die einzige logische Erklärung dieser dramatischen Wende sehe ich in 1. Korinther 15,5: »daß er gesehen worden ist ... von den Zwölfen«.

Was hätte die verzagten Jünger sonst bewogen, für einen leidenden Messias einzutreten, zu leiden und zu sterben? Er muß sich ihnen gezeigt haben »nach seinem Leiden durch viele Beweise als der Lebendige ... vierzig Tage lang...« (Apg 1,3).

Zugegeben, viele Menschen starben schon für eine gute Sache; doch die »gute Sache« der Apostel war schon zuvor am Kreuz gestorben. Allein die Auferstehung und die darauf folgende Berührung mit dem auferstandenen Christus überzeugte seine Jünger davon, daß er der Messias war. Diese Erfahrung bezeugten sie – nicht nur mit ihren Lippen und mit ihrem Leben, sondern auch mit ihrem Tod.

KAPITEL 7

Die dramatische Wandlung des Saulus

Mein Freund Jack, der schon viele Gastvorlesungen in Universitäten gehalten hat, erlebte eines Tages bei der Ankunft in einer Hochschule eine Überraschung. Man teilte ihm mit, die Studenten hätten für denselben Abend eine öffentliche Diskussion zwischen ihm und dem »Universitätsatheisten« geplant. Sein Gegner war ein äußerst redegewandter Philosophieprofessor, der dem Christentum extrem feindlich gegenüberstand. Jack sollte zuerst sprechen. Er schnitt verschiedene Beweise für die Auferstehung Jesu an, die Bekehrung des Apostels Paulus, und gab dann ein persönliches Zeugnis, wie Jesus sein Leben verändert hatte, damals, als er Student war.

Als dem Professor das Wort erteilt wurde, war dieser sehr nervös. Er konnte weder den Auferstehungsbeweis noch Jacks persönliches Zeugnis für nichtig erklären, daher wandte er sich der radikalen Bekehrung des Apostels Paulus zum Christentum zu. Seine Argumentation lief darauf hinaus, »daß Menschen psychologisch derart von der Sache, gegen die sie kämpfen, berührt werden können, daß sie auf einmal selbst daran glauben«. An diesem Punkt entglitt meinem Freund ein Lächeln, und er entgegnete: »Sie müssen also auf der Hut sein, sonst laufen Sie auch noch Gefahr, Christ zu werden.«

Es war eines der einflußreichsten Zeugnisse für das Christentum, als Saulus von Tarsus – vielleicht der erbittertste Feind des Christentums – plötzlich zum Apostel Paulus wurde. Saulus war ein hebräischer Eiferer, ein religiöser Führer. Geboren in Tarsus, hatte er Zugang zu den gelehrtesten Kreisen seiner Zeit. Tarsus war mit seiner stoischen Philosophie und seiner Kultur als Universitätsstadt weithin bekannt. Der griechische Geograph Strabo rühmt die Stadt für ihr großes Interesse an Bildung und Philosophie.

Wie sein Vater besaß Saulus die römische Staatsbürgerschaft – ein hohes Privileg. Zudem schien er sich bestens in der hellenistischen Kultur und im hellenistischen Denken auszukennen. Die griechische Sprache beherrschte er fließend. Er war ein Meister der Dialektik und zitierte selbst wenig bekannte Poeten und Dichter.

Apostelgeschichte 17,28: »Denn in ihm leben und weben und sind wir (Epimenides), wie auch einige Dichter bei euch gesagt haben: Wir sind seines Geschlechts« (Aratus, Cleanthes).

1. Korinther 15,33: »Laßt euch nicht verführen. Schlechter Umgang verdirbt gute Sitten.« (Menander)

Titus 1,12: »Es hat einer von ihnen gesagt, ihr eigener Prophet: ›Die Kreter sind immer Lügner, böse Tiere und faule Bäuche‹« (Epimenides).

Paulus erhielt eine jüdische Ausbildung nach den orthodoxen Lehren der Pharisäer. Mit vierzehn Jahren sandte man ihn bei Gamaliel in die Lehre, einem der größten Rabbiner jener Zeit, der selbst ein Enkel Hillels war. Paulus versichert, daß er nicht nur selbst Pharisäer, sondern überdies Sohn eines Pharisäergeschlechts war (Apg 23,6). Er konnte sich daher rühmen: »und übertraf im Judentum viele meiner Altersgenossen in meinem Volk weit und eiferte über die Maßen für die Satzungen der Väter« (Gal 1,14).

Um die Bekehrung des Paulus richtig verstehen zu können, müssen wir uns fragen, warum er ein so leidenschaftlicher Gegner des Christentums war: Es war die Bewunderung und Verehrung, die er für das jüdische Gesetz empfand, die ihn umgekehrt so unnachgiebig und ablehnend gegenüber Christus und die Urgemeinde werden ließ.

Was Paulus an der »christlichen Botschaft störte, war nicht, daß Jesus als Messias bekannt wurde«, meint

Jacques Dupont, »sondern daß man Jesus eine erlösende Rolle zubilligte, die dem Gesetz jeglicher Funktion im Heilswerk beraubte. . . . Paulus stand dem christlichen Glauben deshalb so feindlich gegenüber, weil er dem Gesetz auf dem zur Erlösung ausschlaggebende Bedeutung zumaß.«[1]

Die »Encyclopaedia Britannica« meint, diese neue jüdische Sekte, das sogenannte Christentum, habe Paulus im Herzen seiner jüdischen Ausbildung und rabbinischen Studien getroffen. Er machte es sich daher zur Lebensaufgabe, diese Sekte zu beseitigen (Gal 1,13). So begann Paulus seine tödliche Verfolgung der »Sekte des Nazareners« (Apg 26,9–11). Buchstäblich »suchte er die Gemeinde zu zerstören« (Apg 8,3). Im Besitz von Vollmachten, die ihn dazu berechtigten, die Anhänger festzunehmen und sie vor Gericht zu bringen, machte er sich auf den Weg nach Damaskus.

Doch dann geschah es. »Saulus aber schnaubte noch mit Drohen und Morden gegen die Jünger des Herrn und ging zum Hohenpriester und bat ihn um Briefe nach Damaskus an die Synagogen, damit er Anhänger des neuen Weges, wenn er sie dort fände, Männer und Frauen, gefesselt nach Jerusalem führe. Als er aber auf dem Wege war und in die Nähe von Damaskus kam, umleuchtete ihn plötzlich ein Licht vom Himmel; und er fiel auf die Erde und hörte eine Stimme, die sprach zu ihm: Saul, Saul, was verfolgst du mich? Er aber sprach: Herr, wer bist du? Der sprach: Ich bin Jesus, den du verfolgst. Steh auf und geh in die Stadt, da wird man dir sagen, was du tun sollst. Die Männer aber, die seine Gefährten waren, standen sprachlos da, denn sie hörten zwar die Stimme, aber sahen niemanden. Saulus aber richtete sich auf von der Erde, und als er seine Augen aufschlug, sah er nichts. Sie nahmen ihn aber bei der Hand und führten ihn nach Damaskus. Und er konnte drei Tage nicht sehen und aß nicht und trank nicht.

Es war aber ein Jünger in Damaskus, mit Namen Hananias, dem erschien der Herr und sprach: Hananias! Und der sprach: Hier bin ich, Herr. Der Herr sprach zu ihm: Steh auf und geh in die Straße, die die ›Gerade‹ heißt und frage in dem Haus des Judas nach einem Mann mit Namen Saulus von Tarsus! Denn siehe, er betet und hat in einer Erscheinung einen Mann gesehen mit Namen Hananias, der zu ihm hereinkam und die Hand auf ihn legte, damit er wieder sehend werde« (Apg 9,1–12).

Hier wird deutlich, warum die Christen Paulus so sehr fürchteten. Hananias antwortete nämlich: »Herr, ich habe von vielen gehört über diesen Mann, wieviel Böses er deinen Heiligen in Jerusalem angetan hat. Und hier hat er Vollmacht von den Hohenpriestern, alle gefangenzunehmen, die deinen Namen anrufen. Doch der Herr sprach zu ihm: Geh nur hin! Denn dieser ist mein auserwähltes Werkzeug, daß er meinen Namen trage vor Heiden und vor Könige und vor das Volk Israel. Ich will ihm zeigen, wie viel er leiden muß um meines Namens willen. Hananias ging hin und kam in das Haus und legte die Hände auf ihn und sprach: Lieber Bruder Saul, der Herr hat mich gesandt, Jesus, der dir auf dem Weg hierher erschienen ist, daß du wieder sehend und mit dem Heiligen Geist erfüllt werdest. Und sogleich fiel es von seinen Augen wie Schuppen, und er wurde wieder sehend; und er stand auf, ließ sich taufen und nahm Speise zu sich und stärkte sich« (Apg 9,13–19a). Paulus sagte: »Habe ich nicht unsern Herrn Jesus gesehen?« (1. Kor 9,1). Damit verglich er die von ihm erlebte Offenbarung Jesu mit den Auferstehungserscheinungen Jesu im Kreise seiner Jünger. »Zuletzt von allen ist er auch von mir ... gesehen worden« (1. Kor 15,8).

Paulus durfte Jesus nicht nur sehen, sondern er wurde ihm in einer Weise gegenübergestellt, daß er ihm nicht ausweichen konnte. Er verkündigte das Evangelium daher nicht aus freien Stücken, sondern aus Notwendigkeit, aus einem Muß heraus. »Denn daß ich das Evangelium predige, dessen darf ich mich nicht rühmen; denn ich muß es tun« (1. Kor 9,16).

Die Begegnung des Paulus mit Jesus und seine daraus folgende Bekehrung geschah plötzlich und unerwartet. »Es geschah aber, als ich dorthin zog und in die Nähe von Damaskus kam, da umleuchtete mich plötzlich um die Mittagszeit ein großes Licht vom Himmel« (Apg 22,6). Paulus hatte zunächst keine Ahnung, wer dies himmlische Wesen sein könnte. Die Tatsache, daß es Jesus von Nazareth war, ließ ihn voll Erstaunen und Zittern zurück.

Vielleicht wissen wir nicht alle Einzelheiten, die genaue Chronologie oder alle psychologischen Aspekte dessen, was Paulus auf dem Wege nach Damaskus begegnete; aber wir wissen eines: auf radikale Weise wurde jeder Bereich seines Lebens davon betroffen.

Als erstes erleben wir eine drastische Wandlung seines Charakters. Die »Encyclopaedia Britannica« beschreibt ihn vor seiner Bekehrung als einen intoleranten, bitteren religiösen Fanatiker – zudem stolz und aufbrausend. Nach seiner Bekehrung hingegen wird er als geduldiger, freundlicher, sanftmütiger und aufopferungswilliger Mensch beschrieben. Kenneth Scott Latourette sagt: »Was das Leben von Paulus heilte und sein nahezu neurotisches Temperament aus dem Verborgenen befreite und ihm bleibenden Einfluß verlieh, war eine tiefgreifende und revolutionäre religiöse Erfahrung.«[2]

Dann veränderte sich seine Beziehung zu den Anhängern Jesu. »Saulus blieb aber einige Tage bei den Jüngern in Damaskus« (Apg 9,19). Als Paulus zu den Aposteln ging, wurde er zur »rechten Hand der Gemeinschaft«.

Zum dritten änderte sich seine Botschaft. Obwohl er weiterhin sein jüdisches Erbe liebte, wandelte er sich vom erbitterten Feind zum entschiedenen Verfechter des christlichen Glaubens. »Und alsbald predigte er in den

Synagogen von Jesus, daß dieser Gottes Sohn sei« (Apg 9,20). Selbst seine intellektuellen Überzeugungen waren davon betroffen. Sein Erlebnis zwang ihn zu dem Bekenntnis, daß Jesus der Messias sei – im direkten Widerspruch zu der messianischen Vorstellung der Pharisäer. Sein neues Bild von Christus kam einer totalen Revolution seines Denkens gleich. Jacques Dupont kommt zu der Beobachtung, daß Paulus, »nachdem er so leidenschaftlich abgeleugnet hatte, ein Gekreuzigter könnte der Messias sein, doch zugestehen mußte, daß Jesus der Messias war. In der Folge mußte er alle seine messianischen Vorstellungen neu überdenken.«[1]

Plötzlich begriff er, daß Christi Tod am Kreuz, der so sehr den Anschein des Fluches Gottes hatte und das vernichtende Ende eines Menschenlebens darzustellen schien, eigentlich die Heilstat Gottes war, der der Welt durch Christus das Angebot der Versöhnung machte. Er gelangte zu der Einsicht, daß Christus durch die Kreuzigung zum Fluch für uns wurde (Gal 3,13) und »für uns zur Sünde gemacht« wurde (2. Kor 5,21). So war der Tod Christi nicht mehr Niederlage, sondern ein Sieg, der von der Auferstehung gekrönt wurde. Das Kreuz war nicht länger ein »Stolperstein«, sondern der Kern von Gottes messianischer Erlösung. Die missionarische Verkündigung des Paulus läßt sich darin zusammenfassen; er »tat sie ihnen auf und legte ihnen dar, daß Christus leiden mußte und von den Toten auferstehen mußte, daß dieser Jesus, . . . der Christus ist« (Apg 17,3).

Schließlich erlebten sein Auftrag und seine Berufung eine Kurskorrektur. Aus einem Verächter der Heiden wurde ein Evangelist. Aus einem jüdischen Eiferer wurde ein Missionar der Heiden. Als Jude und Pharisäer war Paulus gewohnt, auf die verachteten Heiden herabzuschauen, sie standen tief unter Gottes auserwähltem Volk. Das Damaskuserlebnis verwandelte ihn in einen überzeugten Apostel, dessen ganzes Leben dem Einsatz für die Heiden gewidmet war. Denn in Christus sah Paulus nun den Erlöser aller Menschen. Paulus wandelte sich vom orthodoxen Pharisäer, dessen Auftrag es war, das Judentum rein halten, zum Befürworter der neuen radikalen Sekte mit Namen Christentum, der er sich bislang mit aller Gewalt widersetzt hatte. Er war so verändert, daß alle, die es hörten, sich entsetzten »und sprachen: Ist das nicht der, der in Jerusalem alle vernichten wollte, die diesen Namen anrufen und ist er nicht deshalb hierhergekommen, daß er sie gefesselt zu den Hohenpriestern führe?« (Apg 9,21).

Der Historiker Philipp Schaff meint: »Die Bekehrung des Paulus stellt nicht nur einen Wendepunkt in seiner persönlichen Lebensgeschichte dar, sondern auch eine wichtige Epoche in der Geschichte der apostolischen Kirche und folglich in der Geschichte der gesamten Menschheit. Es war das fruchtbarste Ereignis seit dem Pfingstwunder, und es sicherte dem Christentum den universellen Sieg.«[3]

Während eines Mittagessens in der Universität Houston bemerkte ein Student einmal, es gäbe für das Christentum oder Christus keinen historischen Beweis. Er studierte Geschichte im Hauptfach, und ich sah unter seinen Büchern ein Lehrbuch über Römische Geschichte. Ein Kapitel befaßte sich auch mit Paulus. Nachdem er es gelesen hatte, fand er es bemerkenswert, daß am Anfang des Abschnitts über Paulus das Leben des Saulus von Tarsus beschrieben wird, während das Ende über das Leben des Apostels Paulus berichtet. Was dazwischen geschehen sei, behauptete das Buch, sei nicht geklärt. Als ich auf die Apostelgeschichte verwies und die Bedeutung der Erscheinung Christi – nach dessen Auferstehung – für Paulus erläuterte, konnte der Student dies als überzeugendste Erklärung dieser Bekehrung akzeptieren. Später nahm er selbst Christus als seinen Erlöser an.

Elias Andrews bemerkt: »Viele sehen in der radikalen Verwandlung des Pharisäers der Pharisäer den überzeugendsten Beweis für die Wahrheit und die Kraft der Religion, zu der er sich bekehrte, sowie auch für den umfassenden Wert und Rang der Person Jesu Christi.«[4] Archibald MacBride, Professor an der Universität Aberdeen, schreibt über Paulus: »Neben dem von ihm Erreichten ... nehmen sich die Eroberungen von Alexander und Napoleon bedeutungslos aus.«[4] Clement sagt, daß Paulus »sieben Mal Ketten getragen, das Evangelium in Ost und West gepredigt, die Grenzen des Westens erreicht habe und schließlich als Märtyrer unter den Herrschern gestorben sei«.[4]

Immer wieder wies Paulus darauf hin, daß der lebendige, auferstandene Herr sein Leben verwandelt habe. Er war so völlig von der Auferstehung Christi von den Toten überzeugt, daß auch er als Märtyrer für seinen Glauben starb.

Zwei Oxforder Professoren, Gilbert West und Lord Lyttleton, hatten es sich zur Aufgabe gemacht, die Basis des christlichen Glaubens zu zerstören. West wollte den Irrtum der Auferstehung klarlegen und Lyttleton beweisen, daß Saulus von Tarsus sich niemals zum Christentum bekehrt habe. Beide Männer kamen jedoch zum entgegengesetzten Schluß und wurden überzeugte Nachfolger Jesu. Lord Lyttleton schreibt: »Die Bekehrung und das Apostelamt des Paulus allein wären schon Beweis genug, daß es sich beim Christentum um göttliche Offenbarung handelt.« Er schließt mit den Worten: »Wenn die fünfundzwanzig Jahre des Dienstes und Leidens im Leben des Paulus Realität waren, dann war seine Bekehrung echt, denn alles nahm mit dieser plötzlichen Veränderung seinen Anfang. Und wenn seine Bekehrung echt war, dann ist auch Jesus Christus von den Toten auferstanden, denn Paulus führte seine ganze Existenz auf die Schau des auferstandenen Christus zurück.«[5]

KAPITEL 8

Ein Toter – auferstanden?

Ein Student an der Universität von Uruguay fragte mich einmal: »Professor McDowell, warum können Sie das Christentum nicht widerlegen?« Ich gab ihm zur Antwort: »Aus einem ganz einfachen Grund. Ich kann nicht über ein geschichtliches Ereignis hinwegsehen – die Auferstehung Jesu Christi.«

Nachdem ich mich lange mit diesem Thema beschäftigt und seine Hintergründe erforscht habe, bin ich zu dem Schluß gekommen, daß die Auferstehung Jesu Christi entweder die übelste, gemeinste, herzloseste Erfindung ist, mit der man die Menschheit genarrt hat – oder das bedeutendste Ereignis der Geschichte.

Die Auferstehungsfrage nimmt das Problem: »Hat das Christentum Gültigkeit?« aus dem philosophischen Bereich heraus und stellt es in den Bereich der Geschichte. Hat das Christentum eine historisch vertretbare Basis? Sind genügend Beweise vorhanden, um den Glauben an die Auferstehung zu rechtfertigen?

Für die Auferstehung relevant sind folgende Tatsachen: Jesus von Nazareth erhob als jüdischer Prophet den Anspruch, der in den jüdischen Schriften prophezeite Christus zu sein; er wurde gefangengenommen, in einem politischen Verfahren abgeurteilt und gekreuzigt. Drei Tage nach seinem Tod und seinem Begräbnis gingen einige Frauen zu seiner Gruft und fanden nur noch ein leeres Grab. Seine Jünger behaupteten, Gott habe ihn von den Toten auferweckt und er sei ihnen vor seiner Himmelfahrt mehrere Male erschienen.

Auf dieser Grundlage verbreitete sich das Christentum und übte durch die Jahrhunderte entscheidenden Einfluß aus. Fand die Auferstehung wirklich statt?

Jesu Begräbnis

Der Leib Jesu wurde nach jüdischem Brauch in ein Leinentuch gewickelt. Dazu wurden ca. 75 Pfund aromatischen Balsams aus starken Duftstoffen so miteinander vermischt, daß eine klebrige Masse entstand, die auf das um den Körper gewickelte Tuch aufgetragen wurde (Joh 19,39–40).

Nachdem man den Leib in eine solide Felsengruft gelegt hatte (Mt 27,60), wurde ein gewaltiger (ca. zwei Tonnen schwerer) Stein mit Hebelkraft vor den Eingang gewälzt (Mk 16,4).

Eine römische Wache aus äußerst zuverlässigen Männern wurde zum Schutz des Grabes beordert. Furcht vor Bestrafung führte zu peinlicher Pflichterfüllung, besonders während der Nachtwachen. Jene Wachmannschaft befestigte an der Gruft ein römisches Siegel, sozusagen ein Stempel römischer Macht und Autorität. Es sollte jeglicher Verwüstung vorbeugen. Jeder, der versucht hätte, den Stein vom Eingang des Grabes wegzubewegen, hätte die Versiegelung aufbrechen müssen und sich den Zorn des römischen Gesetzes zugezogen. Aber das Grab war leer.

Das leere Grab

Die Anhänger Jesu behaupteten, er sei von den Toten auferstanden. Sie berichteten, er sei ihnen während eines Zeitraumes von vierzig Tagen erschienen und habe sich durch viele »überzeugende Beweise« gezeigt (einige Versionen sprechen von »sicheren Beweisen«; Apg 1,3). Paulus sagt, Jesus sei mehr als 500 seiner Gläubigen gleichzeitig erschienen. Die Mehrzahl dieser Zeugen war zur Zeit dieser Behauptung noch am Leben und konnte sie bestätigen (1. Kor 15,3–8).

A. M. Ramsey schreibt: »Ich glaube vor allem deswegen an die Auferstehung, weil eine Reihe von Tatsachen ohne sie nicht zu erklären wären. Das leere Grab ist zu auffällig, um abgeleugnet zu werden.« Paul Althaus behauptet, die Auferstehung »hätte in Jerusalem nicht einen einzigen Tag, eine einzige Stunde behauptet werden können, wenn das leere Grab nicht von allen Beteiligten als Tatsache betrachtet worden wäre.«[1]

Paul L. Maier meinte in einem Interview: »Wenn man alle Beweise sorgfältig und ehrlich gegeneinander abwägt, dann ist es in der Tat gerechtfertigt, aufgrund der Maßstäbe geschichtlicher Forschung zu schließen, daß das Grab Jesu am Morgen des ersten Ostertages tatsächlich leer war. Und bis heute wurde in den Quellen, in der Geschichtsschreibung der Archäologie kein einziger Hinweis zur Widerlegung dieser Behauptung gefunden.«

Wie können wir das leere Grab erklären? Könnte es nicht auch auf eine natürliche Ursache zurückzuführen sein?

Aufgrund von überwältigenden historischen Beweisen glauben die Christen, daß Jesus in Raum und Zeit durch Gottes übernatürliche Kraft leiblich auferweckt wurde. Diesen Tatsachen Glauben zu schenken, mag schwer fallen; aber ihnen nicht zu glauben, wirft nur noch mehr Schwierigkeiten auf.

Bedeutsam ist die Situation am Grab nach der Auferstehung. Das römische Siegel war zerbrochen – darauf stand die Strafe der umgekehrten Kreuzigung. Der große Stein war nicht nur vom Eingang, sondern von der massiven Grabstätte wegbewegt worden. Man könnte meinen, jemand habe ihn mit Leichtigkeit genommen und fortgetragen. Die Wachen waren geflohen. Es gab achtzehn Vergehen, für die eine Wache mit dem Tode bestraft werden konnte. Darunter fielen Einschlafen oder seinen Wachtposten unbewacht zu lassen.

Die Frauen kamen und fanden die Gruft leer – voller

Panik eilten sie zurück und berichteten den Männern davon. Petrus und Johannes eilten ebenfalls zur Gruft. Johannes erreichte sie zuerst, ging aber nicht hinein. Ein kurzer Blick ließ ihn Leichentücher erkennen, die zusammengeknüllt und leer am Boden lagen. Der Leib Christi war durch sie hindurch zu einer neuen Existenz hinübergegangen.

Die anschließend entwickelten Theorien zur Erklärung der Auferstehung aus natürlicher Ursache sind recht schwach; sie tragen eigentlich eher dazu bei, das Vertrauen in die Wahrheit der Auferstehung zu festigen:

Das falsche Grab

Eine von Kirsopp Lake entwickelte Theorie geht davon aus, die Frauen seien aus Versehen zum falschen Grab gegangen. Dann müßten aber die Jünger ebenfalls zum falschen Grab gegangen sein. Die jüdischen Behörden, die um die Aufstellung einer römischen Wachmannschaft gebeten hatten, um den Diebstahl des Leichnams zu verhindern, hatten sich jedoch ganz sicher nicht im Begräbnisplatz geirrt. Das gilt auch für die römischen Wachen, die dann dort stationiert wurden.

Bei einer Verwechslung der Gruft hätten die jüdischen Behörden sicher keine Zeit verloren, den Leib aus dem richtigen Grab zu beschaffen, um damit Auferstehungsgerüchten ein für allemal entgegenzutreten.

Ein anderer Erklärungsversuch behauptet, die Erscheinungen Jesu nach der Auferstehung seien Illusionen oder Halluzinationen gewesen. Die Halluzinationsthese wird jedoch von der Psychologie als zu unwahrscheinlich abgelehnt. Die historische Situation und die geistige Verfassung der Apostel ließen Halluzinationen in solchem Umfang und mit solch weitreichenden Auswirkungen nicht zu.

Wo war also der richtige Leib, und warum konnte er nicht beigeschafft werden?

Die Ohnmachtstheorie

Vor einigen Jahrzehnten verbreitete Venturini die auch heute noch populäre Ansicht, Jesus sei eigentlich nicht wirklich gestorben, sondern lediglich vor Erschöpfung und wegen des hohen Blutverlustes ohnmächtig geworden. Obschon ihn alle für tot hielten, wurde er später wiederbelebt, und die Jünger hielten es für eine Auferstehung.

Der Skeptiker David Friedrich Strauß – er glaubte selbst nicht an die Auferstehung – erteilte dieser These eine vernichtende Absage: »Es ist unmöglich, daß einer, der gerade halbtot aus dem Grab hervorgegangen ist, der schwach und krank herumkriecht und ärztliche Behandlung, Stärke und zärtliche Fürsorge braucht, bei den Jüngern je den Eindruck hätte erwecken können, daß er Sieger über den Tod und das Grab – und sogar der Fürst des Lebens ist. Dieser Glaube lag ihrem späteren Dienst zugrunde. Eine solche ›Wiederbelebung‹ hätte nur den Eindruck schwächen können, den er in seinem Leben und Sterben auf sie gemacht hatte. Sie hätte aber unmöglich ihr Leid in Begeisterung oder ihre Ehrfurcht in Anbetung verwandeln können.«[2]

Wurde der Leichnam gestohlen?

Eine weitere Theorie behauptet, der Leib sei von den Jüngern gestohlen worden, während die Wachen schliefen (Mt 28,1–15). Die Niedergeschlagenheit und Feigheit der Jünger lassen es bezweifeln, daß sie wirklich so viel Mut aufgebracht hätten, sich den Wachen zu stellen und den Leib zu stehlen. Ihnen war nicht nach Kampf zumute. J. N. Anderson kommentiert die Vermutung, die Jünger hätten den Leib Christi gestohlen, wie folgt: »Das würde all dem widersprechen, was wir über sie wissen: ihrer ethischen Lehre und ihrer späteren Standfestigkeit in Leiden und Verfolgung. Auch hilft es nicht, ihre dramatische Wandlung zu erklären – von niedergeschlagenen, demoralisierten Flüchtlingen zu Zeugen, die kein Widerstand zum Schweigen bringen konnte.«[3]

Der Gedanke, daß die jüdischen oder römischen Behörden den Leib Christi weggeschafft haben könnten, ist genausowenig logisch wie ein den Jüngern zugeschriebener Diebstahl. Wenn die Behörden also den Leib in Besitz hatten oder zumindest wußten, wo er sich befand, warum schritten sie dann nicht ein, als die Jünger in Jerusalem die Auferstehung verkündigten? Warum entlarvten sie sie nicht als Betrüger durch eine entsprechende öffentliche Erklärung?

Wenn sie den Leib wirklich in ihrer Obhut hatten, warum machten sie dann keine Aussagen darüber, wo er sich befand? Warum wurde er nicht wieder beigebracht, auf einen Wagen verladen und durch die Straßen Jerusalems gefahren? Eine solche Aktion hätte das Christentum vernichtend geschlagen und ihm den Garaus gemacht.

Dr. John Warwick Montgomery meint dazu: »Es überschreitet die Grenzen der Glaubwürdigkeit, daß die ersten Christen solch ein Märchen erfunden haben könnten und es dann jenen verkündet hätten, die dies schnell durch die Beschaffung des Körpers Jesu hätten widerlegen können.«[4]

Was spricht für die Auferstehung?

Ein bekannter Geschichtsprofessor in Oxford meinte nach seiner Emeritierung:

»Ich durfte viele Jahre die Geschichte ferner Zeiten studieren, die Zuverlässigkeit der Zeugen prüfen und abwägen. Mir ist jedoch keine Tatsache in der Geschichte der Menschheit bekannt, die durch bessere und umfassendere Beweise jeder Art gestützt wäre, als jenes große Zeichen, das Gott uns schenkte, indem Christus starb und von den Toten auferstand.«

Der englische Theologe Brooke Foss Westscott bemerkte: »In der Tat, wenn man alle Beweise zusammenfaßt, kann man sagen, daß kein historisches Ereignis besser oder verschiedenartiger bewiesen ist als die Auferstehung Christi. Nur wenn man von vornherein annimmt, sie sei auf jeden Fall falsch, kann man ihr mangelhafte Beweise unterstellen.«[5]

Simon Greenleaf, einer der berühmten amerikanischen Rechtsexperten und Juraprofessor in Harvard, schrieb ein Buch über den juristischen Wert der apostolischen Zeugenaussagen zur Auferstehung Jesu. Er hält es für unmöglich, daß die Apostel »an ihren Aussagen hätten festhalten können, wenn Jesus nicht wirklich von den Toten auferstanden wäre und sie dies nicht als objektive Tatsache wie jede andere ihnen bekannte Tatsache betrachtet hätten.« Greenleaf kommt zu dem Schluß, daß nach den Prinzipien juristischer Beweisführung, wie sie vor Gericht Anwendung finden, die Auferstehung Christi zu den am besten bezeugten Ereignissen der Geschichte gehört.

Ein anderer Jurist bemühte sich um eine Widerlegung der Auferstehung. Seiner Ansicht nach gehörte das Leben Jesu zwar zu den herausragendsten der Menschheit, aber bezüglich der Auferstehung glaubte er, es hätte jemand einen Mythos eingeflickt. Er wollte daher selbst einen Bericht über die letzten Tage im Leben Jesu schreiben – ohne die Auferstehung natürlich. Dabei ging er davon aus, daß eine rationale, intellektuelle Annäherung an Jesus seine Auferstehung fast automatisch widerlegen würde. Als er die Tatsachen jedoch mit juristischen Mitteln und Methoden unter die Lupe nahm, mußte er seine Meinung ändern. Sein Buch »Who Moved the Stone?«[6] wurde ein Bestseller. Das erste Kapitel trägt den Titel »Das Buch, das nicht geschrieben werden wollte« – die weiteren Kapitel befassen sich mit überzeugenden Beweisen für Christi Auferstehung.

George Eldon Ladd kommt zu dem Ergebnis: »Die einzige rationale Erklärung für diese historischen Tatsachen lautet, daß Gott Jesus leibhaftig auferweckt hat.«[7] Wer heute an Jesus Christus glaubt, kann daher – wie die ersten Christen – voll darauf vertrauen, daß sich sein Glaube nicht auf einen Mythos oder eine Legende gründet, sondern auf die solide historische Tatsache des auferstandenen Christus.

Das wichtigste ist jedoch, daß der einzelne Gläubige auch heute noch die Kraft des auferstandenen Jesus in seinem Leben erfahren kann. Das beinhaltet als erstes die Gewißheit, daß seine Sünden vergeben sind (1. Kor 15,3). Zweitens hat er die Zusicherung ewigen Lebens und einer persönlichen Auferstehung aus dem Grab (1. Kor 15,19–26). Drittens ist er von einem bedeutungslosen, inhaltsleeren Leben befreit und in ein neues Geschöpf in Jesus Christus verwandelt (Joh 10,10; 2. Kor 5,17).

Treffen Sie Ihre eigene Entscheidung! Wie erklären Sie sich das leere Grab? Nach einer juristischen Überprüfung kam Lord Darling, der ehemalige oberste Richter von England, zu dem Ergebnis: »In ihrer Eigenschaft als lebendige Wahrheit ist sie (die Auferstehung) solch ein überwältigender Beweis, positiv und negativ, durch Tatsachen und Indizien, daß es jeder intelligenten Jury der Welt gelänge, das Urteil zu fällen: Die Auferstehungsgeschichte ist wahr.«[8]

KAPITEL 9

Gibt es nicht doch einen anderen Weg?

Kürzlich sprach mich an der Universität von Texas ein Student mit der folgenden Frage an: »Warum ist Jesus der einzige Weg, um mit Gott in Verbindung zu treten?« Ich hatte zuvor aufgezeigt, daß Jesus den Anspruch erhebt, der einzige Weg zu Gott zu sein; daß das Zeugnis der Schrift wie auch das der Apostel verläßlich sei und daß es genug Beweise gäbe, den Glauben an Jesus Christus als Erlöser und Herrn zu rechtfertigen und zu begründen. Doch er wandte ein: »Warum gerade Jesus? Gibt es nicht noch andere Wege zu Gott? Was ist mit Buddha? Mit Mohammed? Kann man nicht einfach ein gutes Leben führen? Wenn Gott ein Gott der Liebe ist, warum akzeptiert er dann nicht alle Menschen so wie sie sind?«

Diese Fragen stehen beispielhaft für die Fragen vieler, die nicht verstehen können, warum sie Jesus Christus als Erlöser und Herrn annehmen sollten, um eine lebendige Verbindung mit Gott herzustellen und Vergebung ihrer Schuld zu finden. Dem Studenten erwiderte ich, daß viele Menschen das Wesen Gottes nicht begreifen. Auch auf die Frage, wie ein Gott der Liebe es zulassen kann, daß ein einziger Sünder in die Hölle kommt, frage ich zurück: »Wie kann ein heiliger und gerechter Gott es zulassen, daß ein Sünder in seine Gegenwart kommt?« Ein falsches Verständnis des eigentlichen Wesens und Charakters Gottes liegt vielen ethischen und theologischen Problemen zugrunde. Für die meisten Menschen bedeutet Gott Liebe und nichts anderes. Doch ist er nicht nur ein Gott der Liebe, sondern darüber hinaus auch ein gerechter und heiliger Gott.

Grundsätzlich kennen wir Gott durch seine Eigenschaften. Doch eine Eigenschaft ist nie »Teil« Gottes. Früher meinte ich, wenn man alle Eigenschaften Gottes zusammenzählt – Heiligkeit, Liebe, Gerechtigkeit – komme als Ergebnis der Gleichung Gott heraus. Dem ist aber nicht so. Eine Eigenschaft ist nicht »Teil« Gottes, sondern lediglich eine Aussage über Gott. Wenn wir sagen, Gott sei Liebe, meinen wir damit nicht, ein Teil Gottes bestehe aus Liebe, sondern wir denken, die Liebe gehöre zu Gottes Handeln und Sein.

Der Sündenfall verursachte ein Problem in der ursprünglich heilen Beziehung zwischen Gott und Mensch. Wir können davon ausgehen, daß Gott vor Anfang der Zeiten beschloß, Menschen zu schaffen. Er wollte mit ihnen seine Hilfe und Herrlichkeit teilen. Doch als Adam und Eva sich gegen ihn erhoben und ihre eigenen Wege gingen, kam die Sünde in die Welt. Sünde ist nichts anderes als Trennung von Gott. Gott befand sich also in der widersprüchlichen Lage, daß er zwar Männer und Frauen geschaffen hatte, um mit ihnen seine Herrlichkeit zu teilen, daß sie jedoch seinen Rat und Befehl außer acht ließen und die Sünde wählten. Dennoch kam er ihnen in seiner Liebe entgegen, um sie zu retten. Weil er jedoch nicht nur ein Gott der Liebe, sondern auch ein heiliger und gerechter Gott ist, würde allein sein Wesen jeden mit Sünde behafteten Menschen zerstören. Die Bibel sagt: »Denn der Sünde Lohn ist der Tod.«

Innerhalb der Dreieinigkeit aus Gott dem Vater, Gott dem Sohn und Gott dem Heiligen Geist wurde eine Entscheidung getroffen. Jesus, der Sohn Gottes selbst, sollte in menschlicher Gestalt auf die Erde kommen. Er wurde Gott und Mensch in einer Person. Das ist in Johannes 1 gemeint, wo es heißt, daß das Wort Fleisch wurde und unter uns wohnte. Auch in Philipper 2 heißt es, daß Jesus Christus sich selbst zu nichts machte und Menschengestalt annahm.

Jesus war Gott und Mensch zugleich. Er war wahrer

Mensch in einer Weise, als wäre er niemals Gott gewesen und ebenso wahrer Gott, als wäre er nie Mensch geworden. Aufgrund eigener Wahl lebte er ein sündloses Leben und war dem Vater völlig gehorsam. Die biblische Erklärung, daß »der Tod der Sünde Lohn ist«, traf auf ihn nicht zu. Denn er war nicht nur ein der Endlichkeit unterworfener Mensch, sondern gleichzeitig der unendliche Gott. Es stand daher in seiner Macht, die Sünde der Welt, als etwas ihm Fremdes, auf sich zu nehmen. Als er sich vor knapp 2000 Jahren ans Kreuz schlagen ließ, traf ihn folgerichtig der Zorn eines heiligen und gerechten Gottes. Als Jesus sagte: »Es ist vollbracht«, war damit der göttlichen Gerechtigkeit Genüge getan. Man könnte auch sagen, daß Gott damit »frei« wurde, den Menschen wieder mit Liebe zu begegnen, ohne den sündigen Menschen zerstören zu müssen, wie es seine Gerechtigkeit erforderte.

Oft stelle ich Menschen die Frage: »Für wen starb Jesus eigentlich?«, worauf ich gewöhnlich die Antwort erhalte: »Für mich« oder: »Für die Welt«. Wenn ich dann weiterfrage: »Ja, richtig, aber für wen ist Jesus noch gestorben?« bleibt meist die Antwort aus. Christus starb nicht nur für uns, sondern auch für Gott, den Vater. Das meint Paulus in Römer 3, wenn er von Sühne spricht. Mit Sühne ist nichts anderes als die Tilgung einer Forderung gemeint. Als Jesus am Kreuz starb, starb er nicht nur für uns, sondern auch um den Forderungen des eigentlichen Wesens Gottes nachzukommen.

Vor einigen Jahren trug sich in Kalifornien folgende Begebenheit zu. Sie veranschaulicht treffend, was Jesus am Kreuz getan hat, um das Problem, das Gott durch die Sünde der Menschen erwachsen war, zu lösen. Eine junge Frau wurde wegen eines Verkehrsdelikts vor Gericht geladen. Der Richter verlas die Anklageschrift und fragte: »Erklären Sie sich für schuldig oder nicht schuldig?« Die Frau bekannte sich schuldig. Der Richter fällte das Urteil. Es lautete auf hundert Dollar, ersatzweise zehn Tage Haft. Doch dann geschah etwas Merkwürdiges. Der Richter erhob sich, legte seinen Talar ab, verließ den Richtertisch, zog seine Brieftasche und zahlte die Strafe. Wie läßt sich das erklären? Ganz einfach: Der Richter war der Vater der Verurteilten. Er liebte seine Tochter, war aber ein gerechter Richter. Seine Tochter hatte das Gesetz übertreten, und er konnte nicht einfach zu ihr sagen: »Weil ich dich liebe, vergebe ich dir. Du kannst gehen.« Dann wäre er kein gerechter Richter mehr gewesen. Er hätte selbst das Gesetz gebrochen. Doch da er seine Tochter liebte, war er bereit, danach seine Richterrobe abzulegen, zu ihr zu gehen und die Strafe zu bezahlen.

Dieses Beispiel deutet im zwischenmenschlichen Bereich an, was Gott durch Jesus Christus für uns getan hat. Wir haben gesündigt, und die Bibel stellt fest: »Der Lohn der Sünde ist der Tod.« Ganz gleich wie groß und tief Gottes Liebe zu uns ist, er mußte zunächst das Todesurteil verkünden, denn er ist ein gerechter Gott. Und doch: als Gott der Liebe liebte er uns so sehr, daß er bereit war, seinen Sohn den Thron verlassen zu lassen, damit dieser in Gestalt des Menschen Jesus Christus einen ungeheuren Preis für uns bezahlte – den Tod Christi am Kreuz.

An dieser Stelle fragen viele: »Warum mußte das sein? Warum konnte Gott nicht einfach vergeben?« Der Geschäftsführer einer großen Firma meinte: »Meine Angestellten machen oft etwas kaputt, und ich vergebe ihnen einfach. Wollen Sie damit sagen, daß ich etwas tun kann, was Gott nicht kann?« Man vergißt leicht, daß Vergebung immer bezahlt werden muß. Nehmen wir an, meine Tochter zerbricht in unserem Haus eine Lampe. Als liebender, vergebender Vater setze ich sie auf meinen Schoß, nehme sie in den Arm und sage: »Weine nicht, mein Schatz, Vati hat dich lieb und vergibt dir.« Gewöhnlich haken hier meine Gesprächspartner ein und sagen: »Genau das sollte Gott auch tun.« Doch dann frage ich: »Und wer bezahlt für die Lampe?« Wer anders als ich, der Vater. Vergebung muß immer bezahlt werden. Wenn Sie von jemandem vor anderen beleidigt werden und später großzügig sagen: »Ich vergebe dir«, dann bezahlen Sie selbst den Preis für die Beleidigung. Nichts anderes hat Gott getan. Er sagt: »Ich vergebe dir«, aber er war bereit, am Kreuz selbst dafür zu bezahlen.

KAPITEL 10

Er hat mein Leben verändert

Jesus Christus lebt. Allein die Tatsache, daß ich lebe und handle, ist Beweis dafür, daß Jesus Christus von den Toten auferstanden ist.

Thomas von Aquin schreibt: »In jeder Seele ist ein Verlangen nach Glück und Sinnerfüllung.« Als Teenager wollte ich unbedingt glücklich werden. Das ist an sich nichts Verwerfliches. Ich wollte einer der glücklichsten Menschen der Welt werden. Und ich wollte den Sinn des Lebens finden. Darum suchte ich Antwort auf die Frage: »Wer bin ich?«, »Warum bin ich in dieser Welt?«, »Wo gehe ich hin?«

Vor allem aber wollte ich frei sein. Freiheit heißt dabei für mich nicht, daß ich tue, was ich will. Das kann fast jeder, und viele Leute tun es. Freiheit ist: »Die Kraft zu haben, das zu tun, was du tun mußt oder solltest.« Die meisten Menschen sind sich zwar dessen bewußt, was sie eigentlich tun sollten, haben aber keine Kraft, es wirklich auszuführen. Sie sind gebunden. Ich versuchte, solchen Fragen auf den Grund zu gehen. Mir schien, daß jeder an irgendeine Religion glaubte, so tat ich das Nächstliegende und ging zur Kirche. Doch ich mußte mich wohl in der Kirche geirrt haben. Viele von Ihnen werden ähnliche Erfahrungen gemacht haben: Es ging mir drinnen schlechter als draußen, obwohl ich morgens, mittags und abends zum Gottesdienst ging.

Ich war schon immer sehr praktisch veranlagt, und wenn etwas nicht klappt, mache ich Schluß damit. Ich habe also die Religion über Bord geworfen. Es war nichts dabei herausgekommen.

Ich versuchte, Ansehen zu gewinnen. In einer leitenden Position wollte ich mich mit einer Sache identifizieren, mich ihr ganz widmen und dann damit »bekannt« werden – das erschien mir vielversprechend. An meinem ersten Studienort hatten die Studentensprecher das Sagen. Ich kandidierte für die Studentenvertretung. Man wählte mich auf Anhieb zum Sprecher der Erstsemester. Ich genoß es, von jedem gegrüßt und beachtet zu werden, das Geld der Universität und der Studenten auszugeben, Redner einzuladen, die mir gefielen. Ich genoß es, aber nach einiger Zeit wurde auch dies langweilig wie alles andere, das ich versucht hatte. Gewöhnlich wachte ich am Montagmorgen mit schwerem Kopf auf und dachte: »Wieder fünf Tage bis zum Wochenende.« Alles Glück schien sich auf drei Abende der Woche zu konzentrieren: Freitag, Samstag und Sonntag. Dann begann der fatale Kreislauf von neuem. Sicher dachten alle in der Uni, mir ginge es bestens. Für den Wahlkampf hatten wir zum Beispiel den Slogan gewählt: »Josh wählen – Vergnügen haben.« Das war eine Anspielung darauf, daß ich mehr Parties mit weniger Geld veranstalten konnte als jeder andere. Keiner schien zu merken, daß mein Glück genauso oberflächlich war wie das der meisten anderen. Es war von den äußeren Umständen abhängig. Wenn alles gut lief, dann ging es mir gut. Wenn die Dinge schlecht standen, ging es mir ganz miserabel.

Ich war wie ein Boot, das von den Wellen hin und her geworfen wird. Es gibt einen guten biblischen Ausdruck zur Beschreibung einer solchen Lebensweise – Hölle. Aber ich kannte niemanden, der anders lebte, und ich konnte auch niemanden finden, der mich mit einem anderen Lebenskonzept vertraut machen oder mir den Weg dahin zeigen konnte. Viele sagten mir, was ich tun sollte, aber niemand gab mir die Kraft dazu.

Ich begann zu verzweifeln. An meiner Universität fiel mir dann plötzlich eine kleine Gruppe auf: acht Studenten und zwei Dozenten, die irgendwie ganz anders waren. Sie schienen zu wissen, was sie glaubten und warum. So etwas beeindruckt mich, und es stört mich auch nicht, wenn sie mit mir nicht einverstanden sind. Selbst von meinen engsten Freunden stimmen einige in wichtigen Fragen nicht mit mir überein. Ich bewundere Menschen, die für ihre Überzeugung einstehen. (Leider treffe ich so wenige von ihnen.) Vielleicht fühle ich mich daher auch bei manchem Radikalen wohler als bei bestimmten Christen. Manche Christen verhalten sich so lau und unentschlossen, daß ich mich manchmal frage, ob die Hälfte von ihnen sich nur als Christen verkleidet hat. Jene kleine Gruppe an der Uni jedoch schien zu wissen, was ihr Ziel war. Das allein ist ungewöhnlich unter Studenten.

Außerdem redeten diese Leute nicht nur über Liebe, sondern sie unternahmen selbst etwas. Sie schienen über die Zwänge des Universitätslebens erhaben. Ihr Glück hing offensichtlich nicht von den Umständen ab, sie schienen es aus einer inneren, ständigen Freudenquelle zu schöpfen. Dies beunruhigte mich, denn es war etwas, das ich nicht hatte und nicht kannte.

Wie die meisten Studenten wollte ich haben, was ich nicht hatte. (Deswegen muß man in der Uni auch sein Fahrrad abschließen.) Bildung und Wissen geben keine Antworten auf Fragen der Moral, sonst wäre die Universität eine moralische Anstalt erster Ordnung.

Ich beschloß also, mich mit den Leuten anzufreunden. Zwei Wochen später saß ich dann mit sechs Studenten und zwei Angehörigen der Fakultät an einem Tisch. Wir kamen auf Gott zu sprechen. Unsichere Menschen tendieren dazu, den Überlegenen zu spielen, wenn solche Fragen auftauchen. Überall trifft man daher Menschen, die sagen: »Christentum – nur für Schwächlinge. Aber doch nichts für uns Intellektuelle.«

Meine Gesprächspartner machten mich unruhig, und so blickte ich schließlich eine Studentin an, ein gut-aussehendes Mädchen (bis dahin hatte ich gedacht, alle

Christen seien häßlich). Ich lehnte mich in meinem Stuhl zurück, um mein Desinteresse zu bekunden und sagte: »Was hat euer Leben so verändert? Warum unterscheidet sich euer Leben so sehr von dem der anderen Studenten und Professoren hier?«

Diese junge Frau muß sich ihrer Sache wirklich sehr sicher gewesen sein. Ohne eine Miene zu verziehen schaute sie mir direkt in die Augen und sagte zwei Worte, die ich an einer Universität am wenigsten erwartet hätte: »Jesus Christus.« Ich erwiderte: »Hör bloß mit diesem religiösen Gefasel auf. Religion ist für mich erledigt, Kirche ist für mich gestorben, die Bibel hängt mir zum Hals heraus. Von so was habe ich die Nase voll.« Sie schoß sofort zurück: »Ich habe nicht Religion gesagt, sondern Jesus Christus.« Damit gab sie mir etwas zu verstehen, was ich vorher nicht gewußt hatte. Das Christentum ist keine Religion. Religion ist der menschliche Versuch, sich durch gute »Werke« den Weg zu Gott zu bahnen. Christentum bedeutet dagegen: Gott kommt in Jesus Christus zu den Menschen und bietet ihnen eine Verbindung mit sich selbst.

Vielleicht gibt es an Universitäten noch mehr Mißverständnisse und falsche Auffassungen vom Christentum als anderswo. Ich begegnete kürzlich einem Assistenten, der in einem Oberseminar erklärte: »Jeder Kirchgänger ist ein Christ.« Worauf ich erwidern mußte: »Werden Sie gleich zum Auto, wenn Sie in eine Garage gehen?« Christ und Kirche sind zwei völlig getrennte Dinge. Ein Christ ist jemand, der sein Vertrauen in Jesus Christus setzt.

Meine neuen Freunde forderten mich auf, die Ansprüche Jesu auf Gottessohnschaft mit meinem ganzen Intellekt zu prüfen. Seine Fleischwerdung, sein Leben inmitten der Menschen auf Erden, seinen Tod am Kreuz für die Sünden der Menschen, daß er begraben wurde und nach drei Tagen wieder auferstand und daß er auch heute im 20. Jahrhundert das Leben eines Menschen verändern kann.

Ich hielt das alles für eine Illusion. Für mich waren die meisten Christen Träumer. Mir machte es Spaß, auf das Wort eines Christen im Seminar zu warten, damit ich es dann anschließend auseinandernehmen und den zu keiner Stellungnahme bereiten Professor herausfordern konnte.

Diese acht Leute jedoch waren für mich eine Herausforderung. Schließlich ging ich darauf ein, aber nur aus Stolz, weil ich ihre Thesen widerlegen wollte. Aber ich hatte nicht mit Tatsachen gerechnet, mit Beweisen, die jeder Mensch selbst nachprüfen kann.

Schließlich kam mein Verstand zu dem Ergebnis, daß Jesus Christus sein mußte. Meine ersten beiden Bücher waren darauf angelegt, das Christentum zu widerlegen. Als mir das nicht gelang, wurde ich selbst Christ. Seit dreizehn Jahren schreibe ich nun über das Thema Glaube und Vernunft. Der Glaube an Jesus Christus ist mit der Vernunft vereinbar.

Zu Beginn hatte ich aber noch mit einem anderen Problem zu kämpfen. Zwar sagte mir mein Verstand, was die Bibel berichtet sei wahr, aber mein Wille ging in eine ganz andere Richtung. Ich entdeckte, daß Christwerden das Ich fundamental erschüttert. Jesus Christus forderte auch meinen Willen auf, sich ihm anzuvertrauen. Nach Offenbarung 3,20 hörte sich das etwa so an: »Siehe, ich stehe vor der Tür und klopfe an. Wenn jemand meine Stimme hören wird und die Tür auftun, zu dem werde ich hineingehen.« Mir war es aber ziemlich gleichgültig, ob er Wasser in Wein verwandelt hatte oder auf dem Wasser wandeln konnte. Ich wollte mich nicht mit einem Trauerkloß einlassen.

Jedesmal, wenn ich mit diesen begeisterten Christen zusammen war, begann der Kampf in mir von neuem. Wenn Sie schon einmal in einer fröhlichen Runde waren, als es Ihnen selbst schlecht ging, dann wissen Sie, was ich meine. Irgend etwas zog mich dorthin, aber am liebsten wäre ich dann sofort wieder hinausgerannt. Es kam so weit, daß ich nachts nicht mehr schlafen konnte. Entweder ich löste das Problem oder ich würde den Verstand verlieren. Schon immer war ich offen gewesen, aber jetzt war ich so offen, daß mir die berühmten kleinen grauen Zellen herauszufallen drohten.

Doch weil ich offen war, wurde ich am 19. Dezember 1959 um 20.30 Uhr abends, während meines zweiten Jahres an der Universität, Christ.

Wenn mich jemand fragt: »Woher weißt du das denn so genau?«, antworte ich: »Weil ich es selbst miterlebt habe. Es hat mein Leben verändert.« Ich betete in dieser Nacht. Ich betete um vier Dinge, um eine Verbindung mit dem auferstandenen, lebendigen Christus zu gewinnen, der seither mein Leben verändert hat.

Zunächst sagte ich: »Herr Jesus, ich danke dir, daß du für mich am Kreuz gestorben bist.« Und dann: »Ich bekenne dir die Dinge in meinem Leben, die dir nicht gefallen und bitte dich um Vergebung und Reinigung.« (Die Bibel sagt: »Wenn eure Sünden auch rot wie Scharlach sind, sollen wie weiß wie Wolle werden.« Jes 1,18) Drittens sagte ich: »In diesem Augenblick öffne ich dir so gut ich es kann die Tür zu meinem Herzen und meinem Leben und vertraue mich dir als meinem Erlöser und Herrn an. Übernimm du die Herrschaft in meinem Leben. Verändere du mich völlig. Mach aus mir den Menschen, als den du mich geschaffen hast.« Und mein letztes Gebet war: »Herr, ich danke dir, daß du durch den Glauben in mein Leben gekommen bist.« Mein Glaube gründete sich nicht auf Unwissenheit, sondern auf Beweise, auf geschichtliche Tatsachen und auf das Wort Gottes.

Sicher haben Sie schon religiöse Menschen über ihre »Erleuchtung« sprechen hören. Nach meinem Gebet passierte wirklich nichts. Nur daß ich mich noch schlechter fühlte. Mir wurde ganz elend zumute. »Auf was hast du dich da eingelassen, du bist ja verrückt«, sagte ich. Ich dachte tatsächlich, ich hätte den Bezug zur Wirklichkeit nun endgültig verloren.

Rückblickend kann ich jedoch sicher sagen: Ich hatte mich auf etwas Gutes eingelassen; das durfte ich während der kommenden anderthalb Jahre feststellen. Mein Leben veränderte sich. In einem Gespräch mit dem Leiter des Instituts für Geschichte an einer Universität im mittleren Westen äußerte ich, Gott habe mein Leben verändert. Er unterbrach mich und sagte: »McDowell, wollen Sie wirklich behaupten, im 20. Jahrhundert hätte Gott Ihr Leben verändert? Auf welchen Gebieten denn?« Nach einer dreiviertel Stunde sagte er dann: »Danke, das reicht.«

Da war zum Beispiel meine Ruhelosigkeit. Früher mußte ich immer beschäftigt sein. Wenn ich mal Zeit für mich hatte, besuchte ich entweder meine Freundin oder ging sonstwohin. Wenn ich durch die Uni stürmte, tobte in meinem Kopf ein Wirbelwind von tausend Fragen. Wenn ich mich hinsetzte und versuchte, zu studieren oder nachzudenken, gelang mir das nur schwer. Doch wenige Monate nach meiner Entscheidung für Christus stellte sich eine Art innerer Friede ein. Ich meine damit nicht, daß es plötzlich keine Konflikte und Kämpfe mehr gab. Es war keine Problemfreiheit, die ich fand, sondern die Fähigkeit, mit Problemen fertigzuwerden. Und das möchte ich um nichts in der Welt mehr preisgeben.

Auch mein aufbrausendes Wesen hat Gott beruhigt. Ich ließ mich sofort aus der Fassung bringen, wenn mich jemand nur schief ansah. Während meines ersten Semesters hatte ich mehrere Menschen tätlich angegriffen. Dieses Temperament war so sehr Teil meiner selbst, daß ich bewußt gar nicht erst versuchte, es zu ändern.

Doch nach einiger Zeit mußte ich feststellen, daß ich auch in gespannten Situationen wesentlich ruhiger reagierte.

Es gab noch etwas, das sich veränderte. Ich bin nicht stolz darauf. Wenn ich es erwähnte, dann deshalb, weil sehr viele Menschen damit zu kämpfen haben – die Quelle meines Wandels war die Begegnung mit dem auferstandenen, lebendigen Christus. Was ich meine, ist der Haß. Mein Leben lang hatte ich Haß empfunden. Oft war mir das äußerlich kaum anzumerken: es nagte in mir. Menschen, Dinge, Aussagen konnten mich empören. Wie so viele war ich innerlich unsicher. Immer wenn ich jemandem begegnete, der anders war als ich, empfand ich ihn als Bedrohung.

Einen Menschen haßte ich mehr als alle anderen auf der Welt: meinen Vater. Für mich war er der stadtbekannte Säufer. Wenn Sie wie ich in einer kleinen Stadt wohnen und ein Elternteil Alkoholiker ist, dann wissen Sie, wovon ich rede. Meine Freunde in der Schule rissen ihre Witze über meinen Vater, der ihnen frühmorgens irgendwo in der Stadt entgegengetorkelt war. Sie dachten, es mache mir nichts aus. Ich lachte nach außen hin mit, und innerlich schrie und weinte ich. Wenn er meine Mutter zusammengeschlagen hatte, fand ich sie nicht selten im Stall. Sie lag im Mist, unfähig, aufzustehen. Sobald Freunde uns besuchten, nahm ich Vater mit in den Stall, band ihn dort fest und parkte den Wagen in der Nähe des Silos. Unserem Besuch erzählten wir, er sei weggefahren. Ich glaube nicht, daß irgend jemand seinen Vater mehr hassen konnte als ich.

Nach meiner Entscheidung für Christus – etwa fünf Monate später, wurde ich durch Gottes Geschenk von einer Liebe durchdrungen, die mich selbst diesen Haß überwinden ließ. Ich konnte meinem Vater in die Augen schauen und ihm sagen: »Vater, ich habe dich lieb.«

Und ich meinte es wirklich so! Nach alledem, was ich ihm vorher angetan hatte, verwirrte ihn das.

Etwas später hatte ich einen schweren Unfall. Ein Halswirbel war gebrochen, und ich wurde nach Hause abtransportiert. Niemals werde ich den Augenblick vergessen, als mein Vater den Raum betrat. Er fragte mich: »Kind, wie kannst du einen Mann wie mich lieben?« Worauf ich ihm erwiderte: »Vor sechs Monaten habe ich dich noch völlig verachtet.« Dann berichtete ich ihm, wie ich zu Christus gekommen war: »Vater, ich habe Christus in mein Leben aufgenommen. Ich kann es zwar nicht völlig erklären, aber als Ergebnis dieser Beziehung habe ich die Fähigkeit erhalten, zu lieben, und kann nicht nur dich, sondern auch andere Menschen so annehmen, wie sie sind.«

Eine dreiviertel Stunde später erlebte ich eine der größten Überraschungen in meinem Leben. Jemand aus meiner Familie, jemand, der mich so genau kannte, daß ich ihm nichts vormachen konnte, sagte mir: »Mein Sohn, wenn Gott bei mir tun kann, was er bei dir getan hat, dann möchte ich ihm die Gelegenheit dazu geben.« Dann betete mein Vater mit mir und vertraute sich Christus an.

Gewöhnlich brauchen solche Veränderungen Tage, Wochen oder Monate, vielleicht sogar Jahre. Mein Leben änderte sich innerhalb von etwa anderthalb Jahren. Das Leben meines Vaters veränderte sich vor meinen Augen. Es war, als hätte jemand das Licht eingeschaltet. Niemals vorher oder später habe ich eine so schnelle Veränderung miterlebt. Seit dieser Zeit hat er nur noch einmal Whisky angerührt. Er führte ihn bis an seine Lippen, aber nicht weiter. Das war für mich der letzte Beweis: Jesus kann Menschenleben verändern.

Man kann über das Christentum lachen, es verspotten und in den Schmutz ziehen. Doch es funktioniert. Es verändert Menschenleben. Wenn Sie Christus vertrauen, sollten Sie Ihre Einstellungen und Ihr Verhalten genau beobachten. Denn Jesus Christus verändert Leben.

Das Christentum kann man niemanden überstülpen oder aufzwingen. Jeder ist für sein eigenes Leben verantwortlich. Ich kann nur weitergeben, was ich erfahren habe. Die Entscheidung bleibt jedem selbst überlassen.

Vielleicht hilft Ihnen das Gebet, das ich betete: »Herr Jesus, ich brauche dich. Danke, daß du für mich am Kreuz gestorben bist. Vergib mir und reinige mich. In diesem Augenblick vertraue ich dir als Erlöser und Herrn. Mach aus mir den Menschen, als den du mich geschaffen hast. In Jesu Namen. Amen.«

Bibliographie

Kapitel 1: Was ist an Jesus so anders?

[1] Archibald Thomas Robertson, Word Pictures in the New Testament, Nashville 1932, Bd. 5, S. 186
[2] Leon Morris, »The Gospel according to John«, The New International Commentary on the New Testament, Grand Rapids 1971, S. 524
[3] Lewis Sperry Chafer, Systematic Theology, Dallas 1947, S. 21
[4] Robert Anderson, The Lord from Heaven, London 1910, S. 5
[5] Irwin II. Linton, The Sanhedrin Verdict, New York 1943, S. 7
[6] Charles Edmund Deland, The Mis – Trials of Jesus, Boston 1914, S. 118/119

Kapitel 2: Jesus – Schwindler, Wahnsinniger oder der Herr?

[1] C. S. Lewis, Christentum schlechthin,
[2] F. J. A. Hort, Way, Truth, and the Life, New York 1894, S. 207
[3] Kenneth Scott Latourette, A History of Christianity, New York 1953, S. 44/48
[4] W. Lecky, zit. bei Sittengeschichte Europas von Augustin bis Karl d. Großen, 1873
[5] Philipp Schaff, History of the Christian Church, Grand Rapids 1962 (Nachdruck v. 1910), S. 109
[6] Philipp Schaff, The Person of Christ, New York 1913, S. 94/95/97
[7] Clark Pinnock, Set Forth your Case, New Jersey 1967, S. 62
[8] J. T. Fisher, A Few Buttons Missing, Philadelphia 1951, S. 273
[9] C. S. Lewis, Wunder – möglich, wahrscheinlich, undenkbar, Basel 1980

Kapitel 3: Was sagt die Wissenschaft?

[1] James B. Conant, Science and Common Sense, New Haven 1951, S. 25

Kapitel 4: Sind die biblischen Berichte zuverlässig?

[1] Millar Burrows, What Mean These Stones, New York 1956, S. 52

[2] William F. Albright, Recent Discoveries in Bible Lands, New York 1955

[3] Sir William Ramsay, zit. bei John A. T. Robinson, Wann entstand das Neue Testament, Wuppertal 1986

[4] Simon Kistemaker, The Gospels in Current Study, Grand Rapids 1972, S. 48/49

[5] Paul Maier, Der größte Sieg, Neukirchen 1979

[6] William F. Albright, From The Stone Age to Christianity, 2. rev. Auflage, Baltimore 1946, S. 297/298

[7] F. F. Bruce, Die Glaubwürdigkeit der Schriften des Neuen Testaments, Liebenzell 1976, S. 21/52

[8] Sir Frederick Kenyon, The Bible and Archeology, New York 1940, S. 288/289

[9] J. Harold Greenlee, Introduction to New Testament Textual Criticism, Grand Rapids 1946, S. 16

[10] J. W. Montgomery, History and Christianity, Davness Grove 1971, S. 29

[11] Louis R. Gottschalk, Understanding History, New York 1969, S. 150/161/168

[12] Lawrence J. Mc Ginley, From Criticism of the Synoptic Healing Narratives, Woodstock 1944, S. 25

[13] Robert Grant, Historical Introduction to the New Testament, New York 1963, S. 302

[14] Will Durant, Caesar & Christ, in The Story of Civilization, Bd. 3, New York 1944, S. 557

[15] Bischof Papia zit. bei Eusebius, »Historia Ecclesiastica III«, nach der Übersetzung von P. Hauser, Darmstadt 1967

[16] Joseph Free, Archaeology and Bible History, Wheaton 1969, S. 1

[17] F. F. Bruce, Revelation and the Bible, Grand Rapids 1969, S. 331

[18] Clark Pinnock, Set Forth Your Case, New Jersey, S. 58

Kapitel 5: Für eine Lüge sterben?

[1] Michael Green, Vorwort zu George Eldon Ladel, Die Auferstehung Jesu Christi, Neuhausen 1979

[2] Michael Green, Dann lebt er also doch, Neuhausen 1957, S. 36

[3] Kenneth Scott Latourette, A History of Christianity, New York 1937, S. 59

[4] Paul Little, Ich weiß, warum ich glaube, Neuhausen 1985^2, S. 47

[5] Herbert Workman, The Martyrs of the Early Church, London 1913, S. 18/19

[6] Harold Mattingly, Roman Imperial Civilization, London 1967, S. 226

[7] Simon Greenleaf, An Examination of the Testimony of the Four Evangelists by the Rules of Evidence Administered in the Courts of Justice, Grand Rapids 1965, Nachdruck von 1874, S. 29

Kapitel 6: Wem nützt ein toter Messias?

[1] John F. Scott, Kingdom and the Messiah, Edinburgh 1911, S. 55

[2] Joseph Klausner, The Messianic Idea in Israel, New York 1955, S. 23

[3] Millar Burrows, Mose Light on the Dead Sea Scrolls, London 1958, S. 68

[4] A. B. Bruce, The Training of the Twelve (Original 1894), Grand Rapids 1971, S. 177

[5] George Eldon Ladel, Die Auferstehung Jesu Christi, Neuhausen 1979

Kapitel 7: Die dramatische Wandlung des Saulus

[1] Jacques Dupont in Apostolic History and the Gospel, Grand Rapids 1970, S. 177, S. 76
[2] Kenneth Scott Latourette, A History of Christianity, New York 1953, S. 76
[3] Philipp Schaff, History of the Christian Church, Bd. 1, Grand Rapids 1910, S. 296
[4] Philipp Schaff, History of the Apostolic Church, New York 1857, S. 340
[5] George Lyttleton, The Conversion of St. Paul, New York 1929, S. 467

Kapitel 8: Ein Toter – auferstanden?

[1] Arthur Michael Ramsey, God, Christ and the World, London 1969, S. 78–80
[2] David Fr. Strauß, zit. bei Paul Little, Ich weiß, warum ich glaube, Neuhausen 1985[2], S. 50
[3] J. N. D. Anderson, Christianity: The Witness of history, Downess Grove 1970, S. 92
[4] J. W. Montgomery, History and Christianity, Downess Grove 1972, S. 78
[5] B. F. Westscott, zit. bei Paul Little, Ich weiß, woran ich glaube, Neuhausen 1977, S. 58
[6] Frank Morrison, Who moved the Stone? London 1930
[7] George Eldon Ladd, Die Auferstehung Jesu Christi, Neuhausen 1979
[8] Michael Green, Dann lebt er also doch, Neuhausen 1957, S. 79